added Aug 2010
2010 - ∅
11 - ∅
(May 2011)

Les éditions H&O reçoivent le soutien
de la Région Languedoc-Roussillon

la Région
Languedoc
Roussillon

Pour être tenu régulièrement informé de nos publications,
il suffit de nous faire parvenir vos nom et adresse à :
H&O éditions - CS 00001 - 34270 Le Triadou
ou de consulter notre site web : www.ho-editions.com

Petit manuel de gayrilla

à l'usage des jeunes

Des mêmes auteurs

De Michel Dorais

Les enfants de la prostitution, avec une collaboration de Denis Ménard, VLB éditeur, 1987.

L'homme désemparé, VLB éditeur, 1988.

Les lendemains de la révolution sexuelle, VLB éditeur, 1990.

Tous les hommes le font. Parcours de la sexualité masculine, VLB éditeur, 1991.

La peur de l'autre en soi, en collaboration avec Daniel Welzer-Lang et Pierre Dutey, VLB éditeur, 1994.

La mémoire du désir. Du traumatisme au fantasme, VLB éditeur, 1995 ; nouvelle édition, Typo, 2004.

Ça arrive aussi aux garçons. L'abus sexuel au masculin, VLB éditeur, 1997.

Éloge de la diversité sexuelle, VLB éditeur, 1999.

Mort ou fif. La face cachée du suicide chez les garçons, avec une collaboration de Simon Louis Lajeunesse, VLB éditeur, 2001.

Les cowboys de la nuit. Travailleurs du sexe en Amérique du Nord, H&O éditions, 2003.

D'Éric Verdier

Homosexualités et suicide, avec Jean-Marie Firdion, H&O éditions, 2003.

Laissez-moi tous mes parents. Pour une reconnaissance de la coparentalité, H&O éditions, 2010.

ISBN 978-2-84547-215-0
© H&O éditions, 2010, pour la présente édition.

Michel Dorais – Éric Verdier

Petit manuel de gayrilla

à l'usage des jeunes

guide pratique

H&O
POCHE

Une version légèrement différente de ce livre est parue en Amérique du Nord, chez VLB éditeur, sous le titre *Sains et saufs - Petit manuel du lutte contre l'homophobie à l'usage des jeunes*.

REMERCIEMENTS

Merci aux jeunes de France et du Québec dont les récits de vie ajoutent beaucoup à cet ouvrage.
Merci aussi à Éric Verdier pour sa complicité ; s'il n'avait pas accepté de participer avec entousiasme à ce projet, cet ouvrage n'existerait pas.

M. D.

Je remercie les jeunes qui ont témoigné et les personnes qui m'ont permis de réaliser la recherche-action dont sont issus deux tiers de nos témoignages : Annick Bellom, Patricia Echevarria, Patricia Guignard, Marie Legrontec, Corinne Perreau, Malik Salembour, Santiago Serrano, Anne-Marie Servant et Michel Tubiana.

É. V.

Avertissement

Les témoignages retenus pour cet ouvrage sont véridiques. Certains détails ont pu être modifiés afin d'abréger le propos et de préserver l'anonymat des personnes.

Étant nous-mêmes différents

Préambule un peu personnel des auteurs

Un livre comme celui-ci ne devrait pas exister. Avoir à expliquer à des jeunes qu'ils sont sains et qu'ils peuvent certainement s'en sortir saufs s'ils sont gays, lesbiennes, **bisexuels, ambisexuels, queer, transgenres**[*] ou non conformistes dans leur manière d'être, cela devrait être inutile. Une certaine gayrilla, hélas, s'impose. Dans nos sociétés où le **sexisme**, l'**hétéroconservatisme**, l'**homophobie** et autres intolérances face aux différences sont encore répandus, les mots d'encouragement pour ces jeunes sont beaucoup moins courants, et les conseils pratiques à leur endroit, rarissimes. D'où l'idée de ce petit livre.

---

[*] Les mots en caractères gras renvoient au lexique placé à la fin du livre, où ces termes sont définis. Par ailleurs, l'usage du masculin dans cet ouvrage tient à des raisons de commodité, il n'implique nullement le déni ou la subordination du féminin au masculin. L'utilisation de la graphie « gay », de même, permet d'éviter toute confusion avec l'adjectif signifiant « d'humeur joyeuse » ; rappelons que cette graphie se rencontrait en français bien avant qu'elle ne soit retenue en anglais.

Si nous nous adressons aux jeunes que l'on dit « différents », à leurs amis et à leurs proches, notre perspective, on l'aura compris, ne les tient pas responsables du sexisme, de l'hétéroconservatisme ou de l'homophobie qu'ils subissent. Bien au contraire; ils doivent néanmoins s'armer le mieux possible pour résister, combattre et, si possible, terrasser les intolérances et les préjugés qu'ils affrontent au quotidien. C'est une donnée hélas historique: il revient généralement aux groupes ostracisés de critiquer, voire de renverser l'ordre établi qui les brime, les méprise ou les ostracise.

Qu'est-ce donc qui nous a motivés à écrire cet ouvrage? Nous avons trop vu de jeunes blessés, traumatisés même par le rejet dont ils étaient l'objet pour ne plus jamais vouloir nous taire. Aucun enfant, aucun adolescent, aucun jeune adulte ne peut survivre sans sentir qu'il a sa place quelque part en ce monde. Rester impassible devant l'indifférence, l'incompréhension, parfois la violence, c'est s'en faire les complices. Ni plus ni moins. Celles et ceux parmi ces jeunes qui ont été tentés de se suicider (pour tuer du même coup cette partie détestée d'eux-mêmes) nous rapportent précisément combien ce silence complice est cruel. On se remet, même si c'est long et difficile, des persécutions dont on a été victime, mais on ne se remet jamais du fait que personne n'est alors intervenu pour dire qu'on avait droit, comme tout le monde, au respect des autres.

Les auteurs de cet ouvrage ont 50 et 44 ans. L'un vit dans la « jeune » Amérique du Nord, au Québec, l'autre dans la « vieille » Europe, en France. Sur ces deux continents, ils ont été tous deux intervenants sociaux, enseignants, chercheurs, auteurs. Mais, avant toute chose, ils ont eux-mêmes été enfants et adolescents. Puis, pour un temps ou pour la vie, parents suppléants ou d'adoption d'enfants « différents » dont personne ne voulait s'occuper, des jeunes de « mauvais genre » par leur façon d'être, de se vêtir, de se comporter, de désirer ou d'aimer.

Sur le désespoir, parfois, des jeunes d'orientation homosexuelle-bisexuelle ou considérés comme tels, des jeunes atypiques quant à leur genre (garçons dits féminins, filles dites masculines), et des jeunes qui se retrouvent à la rue, aux prises avec la drogue ou la prostitution en raison du rejet de leur famille, ils ont tous deux beaucoup écrit et ils sont souvent intervenus. Ils l'ont fait, et le font encore, parce que les aidants ou les chercheurs doivent témoigner de ce qu'ils ont côtoyé, vu et entendu. Et surtout pour donner une voix aux « sans-voix ».

D'abord compter sur soi… Ça, Michel et Éric l'ont appris très tôt dans la vie, bien avant d'être des professionnels « respectés » (enfin, la plupart du temps). Non pas qu'ils n'aient pas reçu le soutien nécessaire pour s'épanouir. Si leurs parents avaient leur lot de problèmes (les uns étaient très jeunes, pas riches, les autres marqués par la guerre et ses infamies), ils ont généralement fait de leur mieux avec les moyens restreints dont ils disposaient. Ils ont travaillé dur pour permettre à leurs fils respectifs de recevoir l'éducation qu'ils auraient sans doute souhaité pour eux-mêmes, et transmettre l'amour dont ils avaient parfois été privés. Les grands-parents maternels de Michel, grands lecteurs, bien que peu scolarisés, lui ont permis d'avoir accès au monde des idées, grâce auquel l'enfant plutôt chétif et malhabile qu'il était allait devenir « quelqu'un ». Combattre la bêtise et l'hypocrisie bourgeoise a été un credo pour les parents d'Éric, victimes de rumeurs, puis pour leur propre fils, à son tour jugé si « différent ».

« Si tu n'arrives pas à te battre avec tes poings, tu le feras avec tes mots », avait-on répété au petit Michel. « Ce qui ne te tue pas te rend plus fort », avait souvent entendu le jeune Éric. Dans le quartier populaire où habitait Michel, les poings avaient plus d'effet que les mots. Dans la petite société bien-pensante où a grandi Éric, ce sont les non-dits et l'hypocrisie qui préva-laient. Les rares messages d'encouragement devenaient d'autant plus précieux. Oui, des garçons peuvent réus-sir dans la vie en maîtrisant le langage, en se musclant l'esprit. Car derrière les mots il y a la pensée, la réflexion, le sentiment parfois obstiné d'avoir raison. Ou pas tout à fait tort. Pointe alors cette irrépressible envie de se bagarrer, mais civilement, d'une autre façon, avec les moyens et les alliés dont on dispose.

Être un garçon peu sportif, frêle, « à grosses lunet-tes », premier de la classe, imaginatif et hypersensible, n'était pas, hier comme aujourd'hui, un gage de popu-larité. Aimer la lecture, le français et les arts, mais aussi fuir les sports d'équipe et les activités violentes a tou-jours valu aux garçons moqueries, insultes et sar-casmes. Peut-être n'est-ce donc pas par hasard si nous avons choisi — mais était-ce vraiment un choix ? — pour l'un de devenir d'abord travailleur social puis chercheur s'intéressant aux groupes marginalisés, pour l'autre d'aller vers la psychologie et la communication afin de prêter sa voix aux souffre-douleur.

Les marginaux, oui, nous les connaissons bien. Non seulement nous nous sommes toujours considérés des leurs, mais ce sont souvent les gens que nous aimons fréquenter. Nous préférons d'ailleurs dire les « marginalisés ». Parce que personne ne choisit d'être mis à part. Ce sont les aléas de la vie qui en décident ainsi. Comme l'a écrit le grand sociologue américain Howard Becker, c'est le regard des autres qui nous rend « différents », voire déviants par rapport aux normes établies. « L'enfer, c'est les autres », écrivait Jean-Paul Sartre. Or, on risque fort de représenter cet enfer pour nombre d'**intégristes identitaires** lorsque l'on se distingue ou s'éloigne un peu trop de la « moyenne » des gens, que ce soit par ses conduites, ses attitudes, ses désirs ou ses goûts. En cette ère de conservatisme, prévaut la **normopathie**, qui a fait le lit de tous les fascismes : c'est cette illusion par laquelle l'on croit défendre une cause juste uniquement parce que c'est celle de l'ordre établi.

Être ou se découvrir différent n'est pas plus facile à vivre aujourd'hui qu'hier. Pourquoi ? Parce que la **logique binaire** censée séparer d'emblée les bons et les mauvais, les purs et les déviants, les normaux et les anormaux, règne encore en maître presque partout. En particulier dans les lieux publics, où la pire police des mœurs est le regard des autres, parfois leur violence verbale, physique aussi (les jeunes gays et les-biennes et les jeunes au genre non conformistes ont toujours été des cibles de choix : que l'on pense à Matthew Sheppard, battu à mort aux États-Unis, ou à Sébastien Nouchet, brûlé vif en France).

Pourquoi moi ? C'est la question que se posent notamment les jeunes qui ressentent leurs premières attirances pour des personnes de leur sexe, ou qui se vivent différents dans leur masculinité ou leur féminité, ou encore qui, rejeté par un milieu intolérant, se retrouvent à la rue, plus que jamais vulnérables. Pourquoi moi ? En particulier quand on voit le mépris, la haine, la violence s'abattre sur soi comme si cela faisait partie de l'ordre normal des choses.

L'idée d'écrire un guide d'autodéfense à l'usage des jeunes de la **diversité** sexuelle s'est peu à peu imposée à nous au fil des multiples interventions que nous avons faites dans des colloques, conférences, sessions de formation et dans les médias (surtout après la parution de nos ouvrages respectifs sur le suicide chez les jeunes considérés homosexuels, *Mort ou fif* de Michel Dorais, écrit avec une collaboration de Simon Lajeunesse, et *Homosexualités et suicide* d'Éric Verdier, coécrit avec Jean-Marie Firdion). Une fois constaté le désarroi des jeunes « différents », il fallait forcément passer à l'étape suivante. Que faire ? Comment les aider ? Et, surtout, comment les aider à s'aider ?

Nous n'avons pas de recettes magiques. Nous avons seulement du vécu, comme on dit, tant sur les plans personnel que professionnel, et peut-être, gagné âprement avec l'âge, un début de sagesse… Nous n'avons pas de leçons à donner, seulement quelques conseils qui nous ont semblé utiles pour se sortir, au moins en partie, des problèmes causés par le sexisme, l'hétéroconservatisme et l'homophobie. Nous souhaitons surtout livrer ici des perspectives qui permettent non seulement de surmonter les difficultés ou traumatismes causés par l'intolérance et le rejet, mais de les éviter, de les contrecarrer même, autant que faire se peut.

Il est légitime et même souhaitable d'être **proactifs** dans l'amélioration des conditions de vie des garçons et des filles de la diversité sexuelle. Les trucs, conseils et récits de vie qui suivent montrent que la résistance active à l'homophobie est possible et que ce combat peut même être source d'apprentissage. Notre propos est clair : on n'a pas à avoir honte d'être homosexuel, ou bisexuel, ou de se chercher, ou de ne pas correspondre aux **stéréotypes** masculins (si l'on est garçon) ou féminins (si l'on est fille). Plus encore : on peut se faire un devoir, et par conséquent être fiers, de résister à l'intolérance.

On en a assez !

ou

De la haine de soi à l'esprit critique

Bien s'armer l'esprit est la première façon de lutter contre les personnes et les institutions sexistes, conservatrices et homophobes, ou encore contre les intégristes de la pensée binaire pour qui le monde est toujours séparé en deux : hétéros / homos, hommes / femmes, bons / méchants, normaux / anormaux, etc. D'autant plus que la haine de soi que constitue l'**homophobie intériorisée** risque de faire beaucoup de ravage chez celles et ceux qui n'apprennent pas, et le plus tôt possible, à remettre en question les préjugés, idées reçues et stéréotypes sur l'homosexualité, le lesbianisme, la bisexualité, le transexualisme, le non conformisme de genre et la diversité sexuelle en général.

Pour sortir de la désinformation, il y a les livres, bien sûr (de plus en plus nombreux sur les réalités de la diversité sexuelle), mais aussi les discussions avec ses pairs (dans des **groupes de soutien ou d'entraide**) ou encore avec des plus âgés qui ont su tirer leur épingle du jeu dans un monde parfois hostile. Dans de nombreuses communautés ostracisées, c'est entre générations que se sont transmis les savoir-faire et les savoir-être qui ont permis aux plus jeunes de se construire. On peut citer le cas des personnes de couleur, des groupes ethniques minoritaires, des personnes handicapées, etc. Pourquoi en irait-il autrement pour les personnes de genre et d'orientation sexuelle non conventionnels ?

Un des meilleurs conseils que l'expérience enseigne est le suivant : tu n'as qu'une vie à vivre, aussi bien ne pas perdre trop de temps avec ces bêtises que sont les préjugés. Ceux qui rejettent ou condamnent l'homosexualité, le lesbianisme, la bisexualité ou le transgenrisme ont un problème, qu'il leur appartient de régler, même si, hélas, leur intolérance fait entre-temps des dégâts. Parce que même si tu réussis à vaincre le poids du conformisme, la pression des autres, tu risques de la voir s'infiltrer dans ta vie au moment où tu t'y attends le moins. Il faut donc te préparer à y faire face avec sérénité et, quand il le faut, avec combativité.

Les premières réactions face à tes différences viendront probablement de ta famille, de tes proches. Un brin de philosophie est alors de mise, hormis évidemment lorsque ces réactions sont disproportionnées (on y reviendra). Ça t'a pris un certain temps pour composer avec ta différence ? Il serait bon de laisser aussi un peu de temps à tes proches pour qu'ils réfléchissent, s'informent et comprennent, eux aussi. Mais pas question de supporter le chantage du type : « *Ta mère n'arrête pas de pleurer* », ou « *Ton père va mourir de honte* ». Ne prends pas sur toi le poids du monde : à chacun d'assumer ses croyances, ses déceptions et ses limites, le cas échéant. Tu peux certes aider tes proches — par exemple, en leur donnant de la documentation pertinente —, mais tu ne peux pas décider ou agir à leur place. Ils vivent leur propre vie. Fais la même chose. Quitte à compter davantage sur des amis sûrs (ta « **famille choisie** », celle-là) que sur ta famille d'origine, quand c'est trop difficile ou que c'est trop leur demander, du moins dans l'immédiat.

Fais toi-même ce que tu attends des autres : aie l'esprit critique. Cela veut dire : n'aie pas peur de remettre en question les prétendues évidences qui, à propos de la diversité sexuelle, prennent souvent la forme de préjugés, d'idées fausses, de mauvaise foi, voire de désinformation.

Argumentaire critique
(pour t'aider à mettre K.O. les affirmations erronées)

• *Les homosexuels et les lesbiennes sont immatures et narcissiques (beaucoup de psys l'ont dit).*
• Il y a maturité et immaturité chez les adeptes de toutes les préférences sexuelles, hélas peut-être… Dans une société où l'hétérosexualité serait condamnée — si jamais une telle chose était possible —, on entendrait probablement des jugements à l'emporte-pièce aussi désastreux à son propos. Et puis les psys, comme tous les autres professionnels, sont loin d'être infaillibles et à l'abri de l'homophobie.

- *Ce sont souvent des pédophiles.*
- Rien n'est plus faux : la majorité des actes pédophiles sont commis par des hommes sur des petites filles. Même ceux qui abusent des garçons ne sont généralement pas homosexuels. Enfin, les femmes lesbiennes sont, toutes catégories confondues, les moins susceptibles de commettre des abus sexuels. Leur confier les enfants mettrait sans doute fin aux abus sexuels de par le vaste monde…

- *Ces gens-là ne pensent qu'au sexe.*
- Quand on parle des gens en fonction de leur préférence sexuelle, on met évidemment l'accent sur la sexualité et sur rien d'autre. N'accuse-t-on pas d'ailleurs les hommes en général de ne penser qu'à ça ? Il y a un autre argument : si la sexualité n'est pas mauvaise en elle-même, pourquoi est-ce que ce serait mal d'y penser ?

- *Il n'y a pas qu'eux qui souffrent — que l'on cesse de nous parler de leurs revendications !*
- Est-ce que tu veux dire que tu souffres, toi aussi ? Alors, je t'écoute…

- *On ne parle plus que de ça !*
- Ah bon, ça te dérange ? Tu ne comprends vraiment pas ? C'est qu'on n'en a pas encore assez parlé…

- *Après l'union civile, il leur faut quoi, aux gays et aux lesbiennes ? Le mariage peut-être !*
- Exactement ! C'est en plein ça, l'égalité totale : avoir les mêmes droits et les mêmes obligations. Ni plus ni moins.

- *Ils ont un problème avec l'autre sexe.*
- Préférer le café au chocolat ne veut pas dire détester le chocolat. Dira-t-on que les hétéros ont un problème avec les gens de leur sexe ?

- *Mère étouffante, père absent… On connaît le profil : ils ne peuvent pas être normaux…*
- Il n'y a pas de profil de famille typique pour les personnes homosexuelles ou bisexuelles, pas plus que pour les hétéros, la preuve en est que les uns et les autres viennent des mêmes familles…

- *C'est la fin de l'espèce humaine !*
- Beaucoup de personnes homosexuelles (et, a fortiori, bisexuelles) ont des enfants. Et puis, la Terre souffre bien plus de surpopulation que de l'inverse. Il n'y a donc pas lieu de s'inquiéter pour le moment.

- *Même les bêtes ne font pas ça, c'est **contre-nature**.*
- Faux. On sait depuis longtemps que, chez les mammifères, par exemple, chez les singes, les dauphins, etc., il y a des couples de même sexe (voire des ménages à trois…).

- *Ils ont tous le sida… ou ils finiront bien par l'attraper.*
- Faux. Dans le monde, la majorité des personnes contaminées par le VIH sont hétérosexuelles. C'est un fait cependant qu'au début de l'épidémie certaines communautés homosexuelles ont été très touchées, mais la prévention a porté ses fruits — il ne faut surtout pas relâcher la vigilance.

• *Ce sont des gens qui souffrent toute leur vie...*

• Quand c'est le cas, c'est l'homophobie qui en est responsable et non pas l'homosexualité. Est-ce qu'on doit blâmer l'hétérosexualité pour les mésententes, voire les violences entre hommes et femmes?

• *Il faut toujours qu'ils s'exhibent en folles...*

• On appelle ça l'**appropriation du stigmate**, ce qui signifie qu'à force de se faire dénigrer pour un trait de sa personnalité, on en remet, on le cultive même. Et puis, faut pas charrier, la plupart des gays, lesbiennes, bisexuels, transgenres ou transsexuels préfèrent vivre dans la discrétion.

• *Ce sont des gens charmants, créatifs, spirituels...*

• Tout comme les Noirs courent plus vite, les Jaunes travaillent plus fort, etc. Les stéréotypes, positifs ou négatifs, restent des stéréotypes!

• *Ils font du prosélytisme, ils tentent de séduire ceux qui ne sont pas de leur bord...*

• Il n'y a aucun prosélytisme à être ce qu'on est et à assumer ses désirs. Et puis, s'il y a des "hétéros" indécis ou curieux, c'est leur affaire, non?

• *Ils ne se fréquentent qu'entre eux.*

• C'est vrai pour certains, surtout lorsqu'ils ont beaucoup souffert du rejet social, et on peut alors les comprendre... Il en va souvent de même pour les minorités ethniques, religieuses et autres par ailleurs. Vivre en ghetto, c'est parfois une réaction d'autoprotection.

- *Ce ne sont pas des « vrais hommes ». Ce ne sont pas des « vraies femmes ».*
- C'est qui, le vrai homme ? C'est qui, la vraie femme ?

- *Il ne faut pas en parler aux enfants, ça va leur donner des idées !*
- Si tu penses vraiment que de seulement en entendre parler ça donne l'envie irrésistible d'essayer ça, c'est que ça doit drôlement te tenter…

- *La religion dit que c'est mal.*
- Les religions, chrétiennes ou autres, ont des points de vue parfois très divergents, voire opposés à ce sujet. Certaines Églises ordonnent des pasteurs gay ou lesbiennes et nomment même des évêques ouvertement homosexuels. Et puis, certaines religions polythéistes (comme chez nombre d'anciennes nations amérindiennes, mais aussi plusieurs peuples de l'Antiquité) reconnaissaient un statut au moins égal à l'homosexualité.

- *Quelles sont les causes de l'homosexualité ?*
- Quelles sont les causes de l'hétérosexualité ?

« *Si tu en parles ouvertement, tu feras de la peine à ta mère, à ton père, à tes frères, à tes sœurs, à tes grands-parents, à tes oncles, à tes tantes, à tes profs, à tes amis, à tout le monde quoi ! Alors, espèce d'égoïste, tu ne penses qu'à toi et à ton plaisir ? Pense donc un peu aux autres. Bien des gens sont restés*

discrets à ce sujet. Certains même ont été continents toute leur vie. Tu peux faire pareil et éviter bien des malheurs par la peine que tu causeras ! »

La meilleure riposte à ce coup en-dessous de la ceinture est de rappeler à ton interlocuteur que le même type d'attaque pourrait, hélas, servir contre lui. Il y a forcément quelque chose que cette personne a eu du mal à assumer : un échec scolaire, un mauvais choix de carrière, une peine d'amour. Tu pourrais le lui rappeler en mettant cette vulnérabilité-là à la place de l'homosexualité (ou, selon le cas, de la bisexualité, du **non-conformisme de genre**, etc.). Dans toutes les familles, il y a des non-dits, des tabous et des secrets douloureux ; c'est là la source de la souffrance des gens, et non pas la simple énonciation d'une réalité. Tu peux aussi dire à ton interlocuteur que s'il est contrarié de te savoir différent, il n'est pas question, malgré les liens qui vous unissent, de sacrifier ton existence pour sa seule satisfaction.

(spécifique pour les gays et lesbiennes) « *As-tu déjà essayé de faire l'amour avec quelqu'un de l'autre sexe au moins ? De cette façon tu en aurais le cœur net !* »

Voilà un propos aussi ridicule que si l'on insistait auprès de tous les garçons et de toutes les filles dits hétérosexuels pour qu'ils testent leur éventuelle homosexualité avant de s'engager dans une hétérosexualité exclusive. Seule une indécrottable homophobie peut expliquer une telle aberration, car cela revient à penser que l'homosexualité est toujours un mauvais choix, une erreur de jugement, un égarement provisoire. Or, comme tu ne penses pas de cette façon-là, te voilà blindé contre ces fadaises.

Pierre

Pierre a senti qu'il était attiré par les garçons dès le début de son adolescence. Mais il a tout d'abord pensé que ça passerait, et il a eu plusieurs copines. Un jour, jeune adulte, alors qu'il en plaquait une de plus, pourtant très amoureuse de lui, il s'est dit qu'il était temps que tout cela cesse, car il voyait bien à quel point il rendait malheureuses ses petites amies… et à quel point il l'était, lui aussi! Ce fut un temps de grand vide, suivi de grandes questions : comment le dire et comment le vivre ensuite?

Heureusement, Pierre a trouvé (conseillé en cela par une ligne d'écoute) un psy compréhensif qui a pu l'aider à traverser ce moment difficile de remise en question. Pierre a entrepris de s'accepter tel qu'il était.

Mais ce fut une autre paire de manches quand il a trouvé son premier copain et qu'il a bien fallu en glisser un mot aux parents et aux amis! Il faut dire que Pierre est aux yeux de tous un « vrai gars », du moins selon les stéréotypes en vigueur. Quand il essaie de le dire à ses amis, ils lui répondent : « Elle est bien bonne celle-là! »

Pendant tout le temps qu'a duré cette première relation, Pierre a parlé de sa conquête au féminin et trouvé mille excuses pour ne jamais « la » présenter ! Mais il se fait à son tour plaquer, et lorsqu'il rencontre Hugues, dont il tombe très amoureux, il se dit qu'avec celui-là, ce serait bien que ça dure, quitte à faire un effort pour vivre son amour au grand jour.

Le jour J arrive : Pierre va informer ses vrais amis qu'il va vivre avec quelqu'un, et que ce quelqu'un-là s'appelle Hugues. Certains lui répondent encore : « C'est bien la meilleure, celle-là ! » ; d'autres sablent le champagne, touchés de sa confiance… et en rigolant d'avance de ce que ce scoop va déclencher dans sa famille !

Pierre attend une soirée tranquille avec son père et sa mère pour lâcher le morceau. Son père ne réagit pas, continuant à regarder la télé comme si de rien n'était et sa mère reste tout aussi muette (elle s'effondrera néanmoins en larmes après son départ). La petite sœur de Pierre lui téléphonera le lendemain en le taquinant : ils n'ont pas pu voir la fin de *La cage aux folles* qui repassait ce soir-là à la télé !

Quelques mois après, c'est le mariage d'une cousine de Pierre et les parents de ce dernier abordent une première fois le sujet de l'homosexualité avec lui : s'il se présente avec un autre homme, on refusera l'entrée à son couple ! Pierre décide donc de ne pas y aller (pour quelqu'un qui devait servir de témoin, c'est plutôt gênant) et offre aux nouveaux mariés le plus beau bouquet de fleurs qui soit, avec un petit mot : « de la part de Pierre et Hugues ». Ça ne rate pas : tout le monde le remarque, mais la honte n'est pas du côté qu'on croit… « Pourquoi Pierre n'est donc pas là avec son ami ? », demandent certains. Ce sont les parents de Pierre qui, hébétés, ne savent que répondre. Le grain de sable s'est introduit dans la machine. Si bien que Pierre décide quelque temps après de tenter une rencontre de son couple avec ses parents : il profite d'un prétexte, venir chercher des meubles trop lourds à transporter seul, pour emmener Hugues à la maison familiale. Prudent, Hugues attend dans l'entrée, mais, après quelques minutes, il voit la mère de Pierre se pointer en bas des escaliers : « Pourquoi tu n'entres pas ? T'as pas peur de nous quand même ? » Hugues entre donc et elle lui offre un café. « Ce n'est pas après toi que j'en ai, c'est après vous deux… Tu sais, ce que vous faites c'est contre-nature ! C'est contre la religion ! Et puis que vont dire les gens ?… » En souriant, Hugues lui explique que pratiquement toutes les espèces de la nature « le font », qu'il y a toujours eu des homosexuels (comme des bisexuels et des non-conformistes de genre) dans toutes les familles, qu'il se trouve toujours des gens mal intentionnés pour railler les autres… Et puis, qui suit encore strictement les directives de la religion ? Les parents de Pierre refusent-ils de recevoir leur autre fils et son épouse, parce qu'ils utilisent la contraception, tout autant interdite par l'Église ? Dédaignent-ils le copain de leur fille parce qu'il est divorcé ? Bien sûr que non. « Oui, mais on ne peut pas vous imaginer tous les deux en train de faire des choses au lit. — Et vous madame, sauf votre respect, on ne se préoccupe pas de ce que vous faites avec votre mari. Ça ne nous regarde pas et, à vrai dire, on n'y pense pas », lui répond Hugues du tac au tac, bien que poliment.

Depuis ce jour, les relations entre eux se sont améliorées, le temps permettant à chacun de s'apprivoiser — et tout ce beau monde se fréquente désormais!

Adhérer à une association militante

S'il existe, dans ta ville ou à proximité, une association gay, lesbienne ou pro-diversité sexuelle, commence par téléphoner, puis va y faire un tour, histoire de faire connaissance. Tu n'es pas obligé de dévoiler ton intimité publiquement en faisant cette démarche. La plupart des associations sont logées dans un local discret, si c'est ça qui te préoccupe.

En allant vers des personnes susceptibles de vivre des expériences semblables aux tiennes et ayant, de surcroît, décider d'améliorer leur sort en militant pour un mieux-être des jeunes de la diversité sexuelle, tu te renforces sur le plan psychologique et même sur le plan social.

Par exemple, les associations peuvent organiser des campagnes de sensibilisation publique comme : faire de la prévention des violences homophobes ou des tentatives de suicide chez les jeunes gays, lesbiennes, bis et transsexuels, publier des dépliants d'information ou organiser des causeries pour mettre fin aux préjugés. En t'impliquant dans de telles activités, tu te fais des amis avec lesquels tu peux socialiser (et peut-être plus, qui sait?) et tu participes aussi à l'amélioration de tes conditions de vie en travaillant à changer ce qui doit l'être dans ton milieu, dans ta société. Les préjugés et les violences qui les accompagnent trop souvent ne changent pas d'eux-mêmes. Si tu ne t'en préoccupes pas, qui le fera à ta place?

En te joignant à des personnes qui partagent en partie ton vécu et tes préoccupations, tu décupleras aussi tes forces, autant en ce qui concerne tes ressources intérieures (ta détermination, par exemple) que tes ressources extérieures (Qui pourra t'aider quand le besoin s'en fera sentir?).

On en a rien à faire de la honte!
ou *De la honte à la fierté*

La honte — et parfois la honte de ne pas avoir honte — est le principal frein au développement personnel et collectif des gays et des lesbiennes, des bisexuels, et des non-conformistes de genre (garçons jugés féminins, filles dites masculines). Comment la contrer, cette maudite honte? Comment empêcher surtout qu'elle s'infiltre en soi sournoisement, par le biais du sexisme accepté ou de l'**homophobie intériorisée**? Et puis, il y a pire que la honte, il y a le terreau dans lequel elle se développe : l'**injure** et l'humiliation. Lorsque tout le monde autour de toi te fait remarquer que tu es « différent » et se fait complice des moqueries les plus idiotes à ton propos, ça devient lourd, à tout le moins. Ce n'est pas exagéré de parler alors de violence psychologique; le traumatisme qui en résulte n'est pas moins grave que celui causé par ces abus physiques considérés à juste titre comme des crimes par la loi. L'injure et l'humiliation créent un sentiment d'injustice, de trahison, d'abandon, auquel il est difficile de rester insensible.

Et lorsque l'injure et l'humiliation se transmettent par association à tous ceux qui ont un lien avec le stigmatisé (c'est la **contamination du stigmate**), les liens affectifs ou amicaux sont mis à l'épreuve de la solidarité. Ce test peut réserver de mauvaises comme de bonnes surprises. Dans une école d'une ville de province, un jeune s'était fait renvoyer car il refusait de se décolorer les cheveux, qu'il avait teint en bleu. Le lendemain de son renvoi, toute sa classe avait les cheveux bleus!

Beaucoup de gens ridiculisent ou dénoncent encore les manifestations de la Fierté gay — ou Gay Pride — aujourd'hui rebaptisées **Marche des Fiertés Lesbienne Gay Bi Trans** (LGBT). Ils feignent de ne pas comprendre que la fierté est le contraire et même l'antidote de la honte que l'on fait depuis longtemps porter par les personnes qui ne sont pas — et exclusivement — hétérosexuelles ou stéréotypées dans leur façon d'être un homme ou une femme. La Fierté est nécessaire. Pas la fierté d'aimer les hommes ou les femmes (il n'y a pas de fierté à tirer d'un goût ou d'une préférence) ou d'être différent, mais la fierté de surmonter chaque jour les préjugés, de s'affirmer, de développer ses propres modèles, son style de vie, par-delà les conventions établies. Pas de quoi être fiers de nos différences? Soit. Mais certainement fiers de les assumer. Et cela vaut bien quelques célébrations, non?

Il en va de même pour la solidarité devant la diversité humaine. Elle est nécessaire et met en avant l'une des qualités les plus honorables de l'être humain: sa capacité d'empathie. Se mettre à la place de l'autre et se faire solidaire de son sort et de ses luttes rend meilleur. Pas étonnant que de plus en plus de gens de tous âges, de toutes orientations sexuelles et de toutes croyances religieuses se font un devoir et un plaisir de participer aux marches des Fiertés, par exemple.

« Vous êtes fiers d'être vous-mêmes ? Est-ce que je suis fier d'être hétéro, moi ? Vous n'avez pas honte de ces manifestations exhibitionnistes, prétendument organisées au nom de la fierté ! Moi, je respecte les gens qui se respectent, qui vivent décemment, discrètement, quoi ! Suis-je homophobe pour autant ? »

Attention, une telle envolée vise à te culpabiliser si tu es un tant soit peu **visible** à un moment ou à un autre de ta vie : refuse d'entrer dans la cage « qui rend invisible » que l'on te propose. Contrairement à ce que proclament les hétéroconservateurs, l'hétérosexualité n'est pas vécue dans la discrétion. Elle est au contraire célébrée et affichée publiquement tous les jours, partout, dans les événements sociaux (des mariages religieux en grande pompe à la célébration de leur anniversaire, par exemple). Sans parler de sa médiatisation continue : peu de personnalités publiques hésitent à se servir de leur conjoint, quand ce n'est de leurs enfants, pour promouvoir leur image de bon mari et père de famille, ou de bonne épouse et mère (si hypocrite soit ce cirque, les conjoints en question étant à couteaux tirés, comme cela s'est vu très souvent pour des présidents, des ministres, des maires, etc.).

Le témoignage de Kathia

« Je me suis enfuie de chez moi parce que mes parents ne m'acceptaient pas, pas seulement dans ma sexualité, parce que j'étais pas mal précoce de ce côté-là, dans tout ce que j'étais, je dirais. Ils critiquaient mon apparence, mes amies, me traitaient de droguée parce que je fumais de l'herbe. Je me suis retrouvée à la rue. Pour survivre quand t'es adolescente, dans la rue, y a pas trente-six solutions : j'ai commencé à faire des clients, à me prostituer. Puis, avec de faux papiers, je me suis fait engager comme danseuse nue dans un bar. C'est pas un métier facile, mais en un sens les clients te respectent un peu plus, c'est moins dangereux surtout que dans la rue. C'est au bar que j'ai rencontré Sylviane. C'est rare les femmes qui vont dans ces endroits-là mais elle, elle en fait toujours qu'à sa tête. C'est une femme hyper forte, dans son caractère, dans son corps. Elle a une moto, elle est souvent habillée en cuir, elle est belle comme ça. Des fois, les gens pensent qu'elle est un homme ; ça la fait sourire. Après quelques temps, elle m'a demandé si je voulais aller vivre avec elle. J'hésitais. Oui, j'avais déjà une certaine attirance pour des femmes, mais je ne pensais pas faire ma vie avec une femme. Faut dire que mon métier ne m'encourageait pas tellement à aimer les hommes… J'ai dit oui, on va essayer. On n'est pas riches, elle a un petit emploi pas tellement payant ; je l'ai convaincu qu'il fallait que je continue de danser. Des fois, je faisais un client ; elle était d'accord, à condition que ce ne soit pas trop souvent et que je ne ramène personne à la maison. Et puis, on a commencé à avoir des projets, parce qu'on a appris à économiser. On voulait des enfants, au moins un pour commencer. Quand j'ai rencontré un client qui me semblait plus propre — le sida, j'y pense toujours dans ces cas-là — et plus beau que les autres, j'ai laissé tomber la capote. J'ai été chanceuse parce que ç'a marché du premier coup. J'ai passé presque en même temps mon test de grossesse et mon premier test du sida. Je n'avais rien et, bonne nouvelle, j'étais enceinte. Ma blonde était folle de joie. À l'hôpital, j'ai dit que j'étais célibataire, pour ne pas avoir de problème, mais la travailleuse sociale est venue me voir (probablement parce que j'avais dit mon vrai métier). Ça les inquiétait qu'une fille comme moi, encore jeune, puisse prendre soin d'un enfant toute seule. J'ai dû dire toute la vérité, mais je ne suis pas certaine que ça les ait rassurés. Ma blonde est venue rencontrer la travailleuse sociale, on a parlé de notre couple, de nos projets parce que je vais pas danser toute ma vie… À l'hôpital, ils se sont montrés réticents, comme si un enfant élevé par deux femmes qui s'aiment allait être maltraité! On a donc téléphoné à un groupe gay qui nous a envoyé quelqu'un qui est venu avec nous à l'hôpital parler de nos droits, parler du fait que les enfants élevés par des lesbiennes ne s'en sortent pas plus mal, au contraire. Cette démarche-là nous a rendues plus conscientes de nos droits. Avant, je dirais pas qu'on se cachait, mais on évitait d'attirer l'attention, comme si on était coupables de je ne sais quoi. Avoir à convaincre le personnel de l'hôpital a été une bonne chose finalement, même si, sur le coup, ça nous a fait chier. Finalement, ils n'ont pas fait trop de problèmes pour me donner ma fille, mais ils étaient réticents ; on a accepté que la travailleuse sociale passe nous voir de temps en temps. Si ça peut les rassurer, ça nous dérange pas.

» J'ai tout raconté à mes parents, avec qui j'ai repris contact. Ça leur a fait une sacrée surprise de savoir que leur fille était en couple avec une autre femme et qu'ils étaient grands-parents en plus ! Je peux pas dire qu'ils sont fous de Sylviane, mais ils viennent chez nous, ils nous respectent finalement. Pour mon métier non plus, ils sont pas fous de joie, mais c'est vrai que je commence à penser à autre chose, à regarder ailleurs, même si c'est pas facile de laisser tomber quelque chose qui est pas mal payant. J'ai 20 ans. Mais faut dire que, depuis quelques temps, les clients en demandent de plus en plus, même pour une simple danse. Ça m'écœure pas mal certains soirs. De toute façon, je sais que je ne pourrai pas faire ça des années et des années. Quand t'as un enfant, ça change ta façon de voir. C'est tout une responsabilité, c'est pas facile tous les jours parce que, de la patience, faut en avoir. Mais, à deux, ça va pas mal, d'autant plus que mon amie et moi, on n'a pas les mêmes heures de travail. Il y en a presque toujours une des deux qui est libre pour s'occuper du bébé.

» Je suis fière de moi, oui, parce que j'ai réussi à survivre, à trouver une femme qui m'aime, à élever un enfant avec elle, même si c'est pas rose tout le temps.

Elle aussi, elle apprend là-dedans. Un enfant, oui, ça limite ta vie mais, en même temps, ça te fait découvrir autre chose. On n'est pas des militantes, on se dit même pas lesbiennes. On est des femmes qui s'aiment, point, qui font leur vie comme tout le monde. Et qui aiment leur enfant. Juste ça, c'est assez pour nous. »

 La fierté de soi implique d'abord d'être à l'aise face à ce qu'on est. Il existe toute une gamme d'attitudes entre la complète ouverture et la fermeture obstinée à propos de ses préférences amoureuses ou de son orientation sexuelle, ou encore de la manière de vivre sa masculinité ou sa féminité. À CHACUN ET CHACUNE DE TROUVER, SELON LES ÉTAPES ET LES CIRCONSTANCES DE SA VIE, CE QUI LUI CONVIENT. Ainsi, même s'il est souvent recommandé de vivre à visage découvert, il existe encore des milieux où cela signifie prendre des risques — y compris pour sa sécurité — qu'on doit alors prendre en considération. Cela dit, attention : exagérer ces risques a souvent été une justification pour rester dans le placard jusqu'à la fin de sa vie. Est-ce que c'est là le sort qui t'intéresse ?

Le mieux à faire quand on le révèle à des proches (parents, fratrie, amis, etc.), c'est d'être factuel, d'éviter les mots hélas trop chargés de préjugés ou de stéréotypes. Par exemple, pour Fabrice, dire « Je suis amoureux de Paul » ou, pour Sophie, « Je suis amoureuse de Brigitte », passe en général mieux que « Je suis homosexuel » ou « Je suis lesbienne ». Le stigmate accolé à ces mots est tellement fort que les gens en oublient que, derrière les mots, il y a des êtres humains en chair et en os — ce qu'il convient de rappeler. Cela a aussi pour effet de ramener les choses dans le ICI ET MAINTENANT, sans présumer de l'avenir. Par exemple, la question de savoir si tu vas tout de même avoir des enfants peut, dans la plupart des cas, encore attendre. Il en va de même pour les autres préoccupations des parents et amis comme l'exclusivité de tes partenaires, les protections que tu prends vis-à-vis des MTS (maladies transmises sexuellement) : une chose à la fois ! Ton frère et ta sœur n'ont pas eu à prédire leur avenir en présentant leur premier amour. Il devrait en aller de même pour toi. De plus, tu remarqueras qu'on dévoile ses préférences sexuelles, on ne les « avoue » pas, comme on l'entend si souvent. On avoue un crime, une faute, un péché. Aimer ou être attiré par quelqu'un de son sexe n'a rien de répréhensible, alors cessons d'utiliser des expressions qui donnent à penser que ça l'est ou que ça pourrait l'être…

La révélation de ses attirances ou préférences non exclusivement hétérosexuelles devrait se faire à un moment où la relation avec la personne à laquelle on s'apprête à se confier est au mieux ! Évite, par exemple, de profiter d'une dispute familiale pour lancer cela — ce n'est vraiment pas le moment idéal. Si tu anticipes tout de même une réaction négative de tes parents — certains intégristes religieux notamment sont plus fermés que des huîtres —, prépare une solution de repli : avoir un ami ou un membre de la famille déjà dans la confidence, qui est présent ou du moins qui peut t'héberger un temps, en cas de crise familiale, ce sont des mesures de sécurité parfois nécessaires. Avoir à tes côtés, ou pas loin, un allié ou un tiers déjà gagné à ta cause peut t'aider beaucoup — surtout si c'est un autre membre de la famille ou un proche, un grand parent, un grand frère, une grande sœur, une amie proche de ta mère, un frère de ton père, etc. Non seulement cela te sécurisera, mais ça apporte de l'eau à ton moulin : il y a des gens qui continuent de te traiter avec respect et affection une fois tes confidences faites.

Planifier sa « sortie » ou son coming-out

Commence par prendre une grande feuille blanche. Mets-y ton nom au centre et trace quatre cercles concentriques autour, de couleurs différentes. Le premier cercle, dans lequel apparaît ton nom, s'intitule « Celles et ceux que j'aime pour toujours », le second « Mes amis, pour un jour ou pour la vie », le troisième « Mes copains ou copines, pour passer des bons moments », le quatrième « Mes relations, avec qui j'aime échanger ». À l'extérieur, tu peux inscrire les noms d'autres personnes, par exemple celles avec qui tu n'as pas encore parlé mais qui t'attirent pour une raison ou une autre. N'oublie pas de mentionner des personnes que tu n'as pas vues depuis longtemps, mais qui comptent suffisamment dans ton cœur pour que tu aies envie de les recontacter un jour. Il s'agit donc, après avoir inscrit dans le cercle adéquat les noms de toutes les personnes qui te viennent à l'esprit (mais oui, on a le droit d'en mettre à cheval sur deux cercles!), de te demander pour chacune:

1. Est-elle au courant de ma différence, s'en doute-t-elle ou pas du tout?

2. Ai-je envie ou pas de lui en parler?

3. Quelles seront ses réactions possibles ou probables?

À l'aide de cette cartographie, détermine le cheminement idéal de ta « sortie » (ou **coming-out**) auprès de ces personnes, en biffant au passage le nom de celles auxquelles tu n'as pas envie de te confier (même si cela peut évoluer avec le temps). Ensuite, sur une feuille séparée pour chaque personne à qui tu as envie de te raconter, imagine le contexte le plus favorable pour toi (quand? où? comment? avec qui?), mais aussi ce qui permettrait à cette personne d'être le plus sincère possible dans sa réaction. Enfin, ne te méprends pas: comme tous les plans, celui-ci n'est qu'une indication afin de t'aider à te préparer. Il n'y a aucune nécessité ni obligation à se révéler, dans toute son intimité amoureuse ou sexuelle, sinon pour le plaisir de partager quelque chose d'important avec des gens qui en valent le coup. Et un cadeau, ça se mérite!

On est bien et on est plus forts ensemble

ou *De l'isolement au regroupement solidaire*

Les **groupes de parole, de soutien** ou de **socialisation** — ces derniers organisant des activités culturelles, sportives ou autres, dans une visée rassembleuse, alors que les premiers sont axés sur l'entraide — ont été et demeurent des outils privilégiés pour sortir de l'isolement que vivent les jeunes gays, lesbiennes, bisexuels et transgenres. Parce qu'ils n'ont généralement pas de groupe d'appartenance « naturel » dans leur milieu de vie, les jeunes de la diversité sexuelle ont tout à gagner de telles organisations.

L'union fait la force, dit-on. Ensemble, avec tes pairs et tes alliés, vous avez des forces insoupçonnées. Réunis, vous pouvez faire évoluer les mentalités et même les lois (par le biais de revendications et actions politiques, éventuellement). Adhérer à des groupes d'entraide et de soutien (pourquoi pas des groupes scolaires « pro-diversité sexuelle », par exemple, partout où cela est possible?), c'est sortir de son isolement, parfois de sa déprime, et constater que l'on est loin d'être aussi seul qu'on le croyait, même hors des grands centres urbains. Se sentir en solidarité avec d'autres agit souvent comme une véritable libération.

Ainsi que le dit Julie Delalande dans *La récré expliquée aux parents* : « Il y a une distinction fondamentale entre socialisation et éducation : alors que ce sont les adultes qui éduquent les enfants, on peut dire que ceux-ci se socialisent tout seuls. » Mais comme il n'y a pas de socialisation naturelle pour les jeunes gay-lesbi-trans, il est donc nécessaire de l'inventer.

« Jamais l'école, qui est l'un des fondements de la démocratie et le rempart contre l'esprit sectaire, ne laissera passer ces groupes-là ! Il y va de sa crédibilité ! Que diraient les parents des autres élèves (ceux qui sont normaux, quoi !) s'ils apprenaient que l'école héberge, pire, encourage, de telles réunions ? N'est-ce pas du prosélytisme ? »

« Imaginez qu'il y a aujourd'hui, dans cet établissement scolaire, un jeune qui se croit seul au monde et qui souffre tellement de sa différence qu'il songe au suicide. Il n'en parle bien sûr à personne, car ce serait dévoiler la source de son malaise, de sa honte. Quand on en arrive à se haïr soi-même à ce point, vous ne me direz pas qu'une main tendue n'aurait aucun effet, non ? Ce jeune-là, qui n'a plus grand-chose à perdre, se débrouillera pour se rendre à ce **groupe de parole**, pourvu qu'il soit organisé à un moment et dans un lieu discrets. Vous ne me croyez pas ? Laissez-nous faire l'expérience, et nous vous relaterons, anonymement bien sûr, les besoins des jeunes qui seront venus nous trouver. Ça vous va comme entente ? L'école n'a rien à perdre à donner le goût de vivre à ses élèves. Quant aux réactions des parents, soyez juste : écouteriez-vous les protestations de parents racistes, qui voudraient exclure de l'école les enfants de certaines origines ? Évidemment non. La diversité humaine est là, reconnue de plus en plus par les sociétés de droit. La diversité sexuelle en fait partie. Si des parents en sont contrariés, c'est leur problème, pas celui de l'école, qui doit faire la promotion de l'égalité et de l'équité, en particulier des jeunes les plus vulnérables, non ? »

Se faire des alliés est une nécessité incontournable, d'autant plus qu'il n'y a pas que les jeunes de la diversité sexuelle qui ont du mal avec les préjugés et les stéréotypes. Souvent les filles ont eu les mêmes problèmes (ce qui n'en fait pas toutes ipso facto des alliées, hélas) en raison du sexisme. D'autres groupes minoritaires sont aussi susceptibles d'éprouver des discriminations similaires aux tiennes — alors pourquoi ne pas joindre vos forces au besoin ? Par exemple, en organisant une journée — mieux : une semaine ! — de la diversité humaine à l'école. Cela peut être une occasion d'échange fantastique et peut-être aussi d'alliance stratégique devant des ennemis communs (les intolérants le sont généralement face à plusieurs groupes).

Tu as aussi le droit le plus strict de connaître et, au besoin, de créer les ressources d'entraide, de soutien et d'information qui te concernent, toi et tes proches (groupes de jeunes, groupes de parents aussi, par exemple). Il faudrait faire connaître largement l'existence de ces ressources existantes ou en devenir à l'école, par exemple dans les agendas étudiants. De tels lieux de rencontre, qu'ils soient virtuels (par exemple sur Internet) ou physiques (regroupements associatifs), sont souvent un moyen décisif pour sortir d'un isolement désespérant, surtout pour les plus jeunes, qui ne savent vraiment pas vers qui se tourner pour parler d'eux, de leur questionnement, de leurs aspirations.

Marie

Marie a été très influencée par sa grand-tante, Jeanne. Cette dernière, de cinquante ans son aînée, a dû affronter la **lesbophobie** tenace d'une petite ville de province. Elle l'a toujours fait avec courage et détermination, au grand jour, même si sa famille a tout tenté pour la dissuader d'être ainsi visible. De Jeanne, on disait qu'elle vivait comme un homme, avec ses cigarettes sans filtre, son scooter et son chien. Lorsque la mère de Marie a fait la connaissance de son futur époux, toute la famille était paniquée à l'idée d'avoir à inviter Jeanne aux fiançailles. Marie, elle, aimait faire du scooter avec sa grand-tante, aller labourer les champs sur son tracteur. Elle rigolait de la témérité de Jeanne devant les quolibets: cette dernière ne manquait pas de faire un bras d'honneur à quiconque la toisait.

Marie a bien connu Josette, la compagne attitrée de Jeanne, qui ne s'interdisait pourtant pas de la « tromper » à l'occasion avec les plus belles femmes de notables de la ville… Pas exclusives mais fidèles l'une à l'autre, les deux femmes se racontaient tout. Josette, l'artiste et l'intellectuelle directement issue du Paris lesbien de l'entre-deux guerres, savait bien qu'elle était le seul grand amour de sa Jeannette adorée.

Lorsque Marie a annoncé son homosexualité à son père, celui-ci s'est empressé d'en informer sa tante, qui a simplement répondu : « Qu'est-ce que tu veux, Robert ? Les chiens ne font pas des chats ! » Grâce au modèle peu commun de sa tante, Marie a toujours eu une vision positive de l'homosexualité et, devenue adulte, elle a naturellement rejoint une association de lutte contre le sida où de nombreux homosexuels étaient impliqués, puis elle a milité dans une association de défense des droits des parents homosexuels, étant devenue mère entretemps.

Ces valeurs d'ouverture d'esprit qui l'ont tant marquée, elle les transmet à son tour et s'en montre fière : « C'est une responsabilité pour moi, déclare-t-elle, d'aider les autres à mon tour, parce j'en connais des filles qui, n'ayant pas eu de modèle comme j'ai eu le privilège d'en avoir un, ont traversé des périodes très sombres dans la vie. »

Créer un groupe de socialisation homo-bi-trans-sexuel

expérience pratique

Un **groupe de socialisation**, c'est avant tout une activité organisée pour avoir du plaisir : on veut se retrouver ensemble afin de connaître d'autres jeunes qui ont un vécu et des intérêts similaires, par exemple sur le plan culturel ou sportif. Cela diffère du groupe de parole, que nous décrirons dans le détail un peu plus loin et qui vise davantage à soutenir les gens sur les plans psychologique et social face aux problèmes qu'ils affrontent. Cette distinction un peu théorique étant faite, il est certain que le fait d'appartenir à un groupe, qu'il soit de nature récréative ou thérapeutique, entraîne toujours un mieux-être : on se sent épaulé.

La première démarche, une fois que tu auras bien identifié ceux et celles que tu cherches à rassembler, est de savoir si un tel groupe existe déjà : outre les associations gay-les-bi-trans à proximité, Internet est un outil extraordinaire pour savoir si ce que tu cherches existe quelque part ! À partir de mots-clés qui cernent le mieux ta préoccupation (par exemple, « lesbienne, jeune, natation »), tu verras peut-être apparaître des associations ou des individus avec qui tu pourras entrer en contact pour avancer dans ta démarche, même s'ils sont loin de chez toi.

Si c'est au sein d'une école ou d'une entreprise que tu souhaites faire démarrer un groupe, n'hésite pas à élargir ta recherche à des écoles ou à des entreprises semblables. Ou tu pourras joindre tes efforts au leur, ou tu pourras tirer avantage de leur expérience. Tu peux partir d'une structure associative déjà existante, c'est sans doute le plus simple, qui te paraît néanmoins susceptible d'accueillir une activité nouvelle comme celle que tu projettes.

Il te reste ensuite à trouver d'autres personnes ayant les mêmes préoccupations. Tous les moyens de diffusion de l'information sont bons, qu'ils soient modernes ou vieux comme le monde : bouche à oreille, petites annonces dans la presse généraliste ou spécialisée (pense aux journaux que lisent les personnes que tu veux toucher), les autres médias (la radio en particulier, car il existe des émissions très sympas pour les jeunes de la diversité sexuelle), les professionnels qui travaillent auprès du public recherché, les journaux internes d'école ou d'entreprise et, bien sûr, les sites web !

Sache par ailleurs que dans la plupart des pays de la francophonie il existe des lois pénalisant le refus de fournir une prestation de service pour cause de discrimination sur la base de l'orientation sexuelle (renseigne-toi, au besoin, auprès d'une association spécialisée dans la lutte contre l'homophobie). Lorsque tu rédiges l'annonce, sois concis, mais aussi précis dans ce que tu recherches : objectif(s) du groupe et de ses activités, tranche d'âge visée, centres d'intérêts communs, zone géographique, etc.

Un conseil : il vaut mieux démarrer à 4 ou 5 que d'attendre d'être trop nombreux pour pouvoir s'entendre ! Fixe un rendez-vous ouvert, dans un contexte agréable, pour faire connaissance avec les premières personnes intéressées à se joindre à toi. Jetez sur le papier toutes vos idées. Concentrez-vous sur ce qui fait consensus : il vaut mieux renoncer à des choses dès le départ, plutôt que de s'embarquer dans une aventure commune... qui ne le serait pas vraiment ! Avant de communiquer des infos sur votre groupe afin de l'élargir, vivre des moments agréables ensemble, apprendre à se connaître, c'est important pour assurer une certaine cohésion et développer un sens de la fête. Votre détermination et votre énergie communes seront les meilleurs gages de votre réussite !

Je reste debout, et toi?

ou

De la peur à l'affirmation de soi

C'est en partie la peur qui rend craintif et vulnérable. Les hétéroconservateurs et les homophobes tirent partie de cette peur-là pour terroriser et ostraciser les jeunes lesbiennes, les jeunes gays et autres membres de la diversité sexuelle. Il faut apprendre à distinguer quand cette peur est une saine réaction de survie et quand elle devient une entrave à l'expression de soi, de ses besoins, de sa liberté, toutes choses qui ne sauraient être sacrifiées. Apprendre à s'affirmer, à contester les injustices (elles sont encore nombreuses), à se défendre psychologiquement, voire physiquement (c'est parfois hélas requis) est une nécessité. À moins de souhaiter sacrifier sa vie au qu'en-dira-t-on…

L'affirmation de soi est avant tout un état d'esprit. Il y a des costauds qui tremblent devant leur ombre et des chétifs qui, comme le roseau de la fable de La Fontaine, ne cèdent jamais. Ta confiance en toi-même sera l'une de tes armes les plus redoutables face à tes ennemis : tu n'es plus la victime idéale, celle qui est murée dans sa peur et qui promet de le rester.

On ne le dira jamais suffisamment : l'estime de soi est le meilleur atout dont nous puissions disposer pour affronter les aléas de l'existence. Examinons un peu, d'après quelques auteurs contemporains, ce qui permet de la construire et de la renforcer.

Pour l'auteur Jean Monbourquette, il y a deux aspects distincts dans l'estime de soi : celle qu'on nourrit pour sa personne même et celle qu'on a développée pour ses compétences. Le premier aspect repose sur la conviction d'être une personne unique, donc irremplaçable, de se reconnaître le droit de vivre, d'aimer et d'être aimé. Cela implique d'accepter toutes les dimensions de soi (intellectuelle, corporelle, affective, sexuelle, spirituelle, etc.) sans les censurer inutilement ni les nier. Le second aspect repose sur la reconnaissance de son niveau de compétence, sans devoir se comparer constamment aux autres. C'est croire en sa capacité d'apprendre, de vouloir se réaliser, enfin de valoriser ses succès, si petits puissent-ils paraître.

D'après les travaux de Christophe André et François Lelord, il existe neuf clés que nous te proposons maintenant d'expérimenter, dans l'affirmation de soi — qui est la suite logique d'une bonne estime de soi :

1. AFFIRME-TOI dans ta singularité, c'est-à-dire dans tes goûts, tes besoins, tes intérêts propres. Chaque être humain est différent.

2. SOIS EMPATHIQUE avec les autres, même si leur « genre » ne te convient pas (ainsi, ne méprise pas les

« **folles** » ou les « **butchs** », par exemple, parce que leur non conformisme ne te plairait pas. La solidarité n'est-elle pas de mise pour les jeunes de la diversité sexuelle ?).

3. Appuie-toi sur un réseau de soutien social, constitué de personnes que tu auras choisies (même si elles peuvent déjà faire partie de ta famille biologique) parce qu'elles te permettent d'être toi et qu'elles t'encouragent dans la réalisation de tes projets de vie.

4. Accepte les échecs dans tes rencontres, notamment amoureuses ; on met souvent plusieurs années avant de rencontrer la personne idéale, avec qui on aura le goût de partager son quotidien. D'ailleurs ce que l'on appelle un « échec » est finalement une expérience constructive quand cela nous amène ailleurs, mieux avec soi et avec son nouveau partenaire.

5. Fais taire le **critique homophobe en toi** : il ne se gênera pas pour te rappeler son existence au moindre de tes échecs, et tout particulièrement sur le plan amoureux (en te faisant croire, par exemple que « *Tu n'es pas digne d'être aimé.* »).

6. Agis, n'attends pas qu'un monde merveilleux advienne, car il y a beaucoup à faire pour améliorer l'ordre actuel des choses et on a besoin de toi !

7. Apprends à te connaître et à reconnaître tes talents comme tes limites. Cela dit, c'est avec ton potentiel que tu construiras ta vie (pas avec ce que tu considères comme des manques), ne l'oublie pas.

8. Accepte-toi. Rien ne sert de te juger. Comme le dit un vieil adage : « Trouve la sérénité d'accepter ce que tu ne peux pas modifier, le courage de modifier les

choses que tu peux changer, et la sagesse d'en discerner la différence. »

9. SOIS HONNÊTE AVEC TOI-MÊME. Parle-toi à toi-même à l'occasion, comme tu aimerais qu'un sage le fasse. Cela t'aidera à garder les pieds sur terre et à ne pas être continuellement déçu par des attentes irréalistes face à la vie.

*« Ah bon, parce qu'on s'affirme "pas comme les autres", on se croit supérieur maintenant! Excuse-moi, mais je ne suis qu'un pauvre hétéro, écœuré de ton **hétérophobie**! »*

Il ne faut pas confondre estime de soi et sentiment de supériorité. S'estimer va de pair avec le fait d'estimer aussi les autres à leur juste valeur. C'est donc autant se respecter que de respecter les autres dont il est ici question. Cela dit, la personne qui se froisse du fait que tu t'affirmes autant qu'elle le fait elle-même ne te considère pas vraiment comme son égal, c'est clair.

« As-tu entendu parler de cet homme gay qui vient d'être attaqué? C'est malheureux, et tu ne voudrais pas que ça t'arrive à toi, n'est-ce pas? La différence est encore mal vue. Alors apprends donc à te taire et à rester dans ton coin. »

Ce type d'invitation est à prendre pour ce qu'il est : une menace, ou du moins la menace de menaces… N'accepte pas d'entrer dans ce jeu-là. Et puis, la clandestinité et la honte de soi ne sont pas des gages de sécurité, loin de là. Rappelons l'histoire de cet homme marié, père de deux enfants, qui a été sauvagement attaqué une nuit qu'il se promenait dans un jardin public. Son agresseur s'était dit que ce serait une proie facile : un homo caché et honteux sans doute, qui cherchait une aventure, avait pensé de lui son assassin. Son meurtre, comme tant d'autres, n'a pas été comptabilisé dans les crimes homophobes. On a juste pu lire dans un journal local qu'un homme sans histoire avait été retrouvé assassiné dans un jardin public, sans qu'on connaisse ni le mobile du crime, ni son auteur. Toutefois, une petite phrase laconique émettait lâchement un doute sur la moralité de la victime… La nuit, l'anonymat, la discrétion des lieux ne l'avaient pas protégé, au contraire, hélas.

Témoignage de Ziggy

« Je suis déjà passé à la télé pour témoigner de mon homosexualité. Quand je me regarde… Je ne sais pas… Ça me bloque, on dirait que c'est pas moi ! Par contre, je dis des choses plutôt sensées.

» C'est même pas moi qui ai fait mon coming-out, la première fois, c'est l'assistante sociale. C'est vrai que j'avais eu des relations sexuelles avec plusieurs copains de l'école… Au début, je pensais que c'était une maladie… Mais l'assistante sociale que j'ai été voir, elle m'a écouté, ça m'a fait vraiment du bien. J'avais peur, c'était la première personne à qui je me confiais… Faut quand même reconnaître que, tout jeune, j'étais comme dans *La Cage aux folles*, très efféminé et tout… Là, t'es vraiment mis de côté par les autres garçons, sauf quand il s'agit de t'insulter! "Renato", c'est comme ça que toute l'école m'appelait! Dès que des nouveaux arrivaient, ça y était, j'étais présenté comme "Renato-la-tapette", alors que je venais à peine de comprendre que j'étais gay…

» Donc, j'ai tout raconté à cette assistante sociale : que j'avais déjà eu des rapports avec des camarades de l'école — qui n'en parlaient pas du tout, évidemment, et m'évitaient comme la peste par la suite — et tout et tout… Un jour, elle est venue me chercher avec sa voiture et elle m'a dit "Je vous ramène chez vous" et là, j'ai compris… Donc elle m'a déposé chez mes parents, elle leur a dit qu'elle avait une discussion très importante à avoir avec eux… Elle a parlé et, moi, je ne regardais pas mes parents dans les yeux… Elle a dit que j'étais gay, qu'elle ne pouvait garder ce secret pour elle-même, et que l'école ne pouvait pas non plus me garder car j'y avais eu des relations sexuelles! Mon père n'a pas été trop choqué, mais ma mère, oui… Elle est partie en courant dans la cuisine ; ce sont des souvenirs qui ne me plaisent pas trop… J'avais 17 ans environ et, du coup, je suis parti de chez mes parents. Parce que mon père, il voulait tout savoir après, comment s'appelait celui avec qui j'avais couché et tout et tout… Et je trouvais qu'ils savaient déjà trop de choses, et ça m'a fait un blocage en plus… Après il avait un comportement que j'aimais pas. Par exemple je rentrais dix minutes en retard et il m'engueulait: "T'as été où? T'as encore été sucer des queues?", alors qu'avant il ne disait jamais des choses vulgaires comme ça! Donc je suis parti de chez eux, alors que j'étais encore mineur. Après, j'ai été trimbalé dans plusieurs foyers d'accueil… Alors là, pour faire à nouveau confiance à une assistante sociale, même bien intentionnée!!! Au début, je me disais que ce que j'avais fait, baiser à l'école, c'était grave et qu'elle était obligée de dire tout ça. Mais, plus tard, j'ai appris qu'elle avait fait une faute professionnelle. Heureusement, j'ai rencontré vers mes 18 ans quelqu'un que je connaissais depuis longtemps. Il est homo et plus âgé que moi. Il m'a emmené dans un bar, il m'a fait connaître des gens et on a discuté de l'homosexualité. Les rapports que j'avais eu à l'école, c'était juste pour la satisfaction immédiate, et on faisait gaffe! Maintenant, j'appellerais pas ça une relation, c'était plutôt un petit moment pour assouvir un désir, car faire l'amour avec des préliminaires, c'est tout autre chose! Faut déjà s'accepter soi-même pour que les gens nous acceptent. Maintenant, j'en parle, je m'assume et je vis bien mon homosexualité. Mais je trouve ça déplorable qu'il n'y ait pas des lieux de rencontre pour les jeunes. Un endroit où l'on pourrait s'asseoir et discuter, quoi! Moi, j'aime bien prendre le temps de faire connaissance, et pas "Hop, on va tirer un coup!" Non: on fait connaissance et on se rappelle. Maintenant que j'ai appris à aimer qui je suis, mon corps, c'est pas un objet, je ne veux pas qu'on s'amuse avec et qu'on le jette après! Mon corps, j'y fais très attention, car pour moi l'amour ce n'est pas juste deux hommes qui ont un moment à passer… Moi, je dirais aux autres jeunes gays : La différence, ça fait partie de la vie. Si tout le monde était pareil, ce serait ennuyeux. »

Apprendre à s'affirmer

C'est à toi de décider dans quels contextes et à quelles occasions tu n'accepteras pas ou plus de te taire. Par exemple, accepteras-tu qu'un prof tienne des propos homophobes (des blagues sur les « tapettes », sur les « gouines » ou sur les mariages entre personnes de même sexe) ? Tu n'as pas forcément à faire un coming-out public en te disant choqué par de tels propos. Tu n'as qu'à rappeler que tu ne viens pas à l'école pour apprendre quels sont les préjugés des profs et que, de toute façon, de tels propos sont inacceptables. Le fils (hétéro) d'un des auteurs de ce manuel a demandé à un de ses profs de s'excuser, après que ce dernier eut dit que les gays et lesbiennes étaient des « malades ». Devant le refus du prof, le jeune homme a demandé aux étudiants qui, comme lui, étaient en désaccord avec un tel discours, de sortir immédiatement de la classe pour manifester leur désapprobation — ce que quelques jeunes femmes ont fait. Une plainte a aussi été déposée contre le prof concerné pour son manque de respect, car non seulement il insultait sans doute un certain nombre de ses étudiants, mais aussi des proches de ces derniers. De plus, son affirmation était mensongère (dans un cours de sexologie en plus), puisqu'il y a longtemps que l'homosexualité n'est plus considérée comme une maladie mentale. L'université n'a, hélas, pas donné suite à cette plainte. « Mais si j'agis ainsi, est-ce que je ne prends pas le risque d'être identifié comme gay ou lesbienne par des profs ou des camarades de classe ? » dira-t-on. Oui, bien sûr, ce risque existe et c'est à toi de juger s'il est plus préjudiciable de prendre ce risque que d'avoir à subir les insultes de ceux qui croient qu'on peut toujours dire du mal des lesbiennes, des gays, des bis, des trans, sans que personne n'intervienne. L'idéal serait qu'il y ait un groupe d'élèves solidaires prêts à réagir dans de telles circonstances, afin que le poids de cette intervention soit réparti sur plusieurs épaules (et c'est bien pourquoi, notamment, des groupes de soutien sont si nécessaires dans les écoles !).

Mais tu peux aussi choisir d'écrire ton témoignage, de le publier : identifie un journal assez ouvert pour accueillir un texte sur ton vécu, suffisamment diffusé pour toucher le public auquel tu souhaiterais t'adresser, et surtout qui tient une rubrique « La parole aux lecteurs » ou « Témoignage ». Si tu vises certaines personnes en particulier parce que tu as été témoin ou victime de comportements homophobes, n'hésite pas à mentionner l'incident en question de façon à ce qu'ils se reconnaissent sans avoir besoin de les nommer. Avant d'envoyer ton texte, montre-le à une ou deux personnes de confiance, en leur précisant par qui cela va être lu si tu es publié. Cela te fera une première réaction, critique mais amicale, dont tu auras avantage à tenir compte.

On ne va plus se taire !

ou

De l'invisibilité à la présence entêtée

L'invisibilité sociale contribue à ralentir la reconnaissance de l'homosexualité, du lesbianisme, de la bisexualité, du **non-conformisme de genre** comme réalités. Que faire pour pallier ce problème ? Et quels sont les degrés possibles ou souhaitables de visibilité et d'affirmation non seulement individuelles mais collectives ? Chacun et chacune a ses réponses, bien sûr, mais nous avons un faible pour la résistance, voire pour la délinquance. Tous risques calculés (nul n'est besoin de se proposer comme candidat au martyr), il est souvent instructif de voir les réactions des autres à l'inattendu ; déstabiliser les repères habituels vous accorde parfois, au moins un temps, la priorité d'action. Pourquoi ne pas en profiter ? C'est ce que font, par exemple, un certains nombre de ceux et celles qui défilent chaque année lors des marches de Fierté gay-lesbienne-bi-travestie-et-transsexuelle. Leurs costumes hyper-imaginatifs donnent parfois à réfléchir sur les stéréotypes de sexe et de genre. Leur prétendue provocation est en fait contestation.

C'est la quasi-absence de contre-discours, c'est-à-dire de prise de parole par ce que l'on appelle les « **minorités sexuelles** », qui a toujours servi leurs ennemis. Il importe donc de témoigner de la diversité sexuelle de toutes les façons possibles : Journée de la fierté, Journée de lutte contre l'homophobie, événement soulignant l'apport des personnes de la diversité sexuelle à la société. Les écoles, les familles, les syndicats, les associations de toutes sortes peuvent et doivent promouvoir de telles activités qui font en sorte que la diversité sexuelle n'est plus une réalité que l'on tait. Tout le monde a à gagner d'une telle visibilité ; la diversité sexuelle est l'une des manifestations de la diversité et de la richesse humaines.

Quoi que tu fasses, sache néanmoins qu'il se trouvera toujours des gens pour dire que tu en fais trop… ou pas assez. C'est le propre de ceux qui ne font rien que de critiquer les autres sans nuance et sans retenue (ils ont tout leur temps). Tu t'affirmes ? On dira que tu affiches sans pudeur tes mœurs, on te taxera même d'exhibitionnisme ! Tu te montres des plus discrets ? On y verra la preuve de ta honte, si ce n'est de ton sentiment de culpabilité vis-à-vis de toi-même, de ta famille ou de tes pairs ! Le discours hétéroconservateur et homophobe est particulièrement raffiné dans son incohérence : les mêmes qui reprochent aux gays, lesbiennes et autres de vivre dans des ghettos, de donner dans un **communautarisme** ou un **séparatisme** « éhontés », de ne pas vivre « comme tout le monde », sont les premiers à s'insurger lorsque les gays et lesbiennes demandent à avoir une vie « normale », à pouvoir se marier, élever leurs enfants, etc.

Inutile d'essayer de comprendre cette logique contradictoire, qui est en fait de l'illogisme pur. La meilleure façon de contrer la **normopathie** lorsqu'elle se déploie, c'est de témoigner par l'exemple. Comme le disait si justement Cocteau : « Ce qu'on te reproche, cultive-le : c'est toi ! » C'est pourquoi il importe de s'entourer de personnes avec qui il est possible de se construire sur des valeurs communes, de respect de soi et des autres, de liberté et d'égalité.

Refuse d'emblée le déni de ton existence ; c'est le moins que tu puisses faire. Que l'on parle des réalités que tu vis, que l'on te fasse de la place pour en parler est un minimum vital. Qui veut être traité comme s'il n'existait pas, que ce soit dans son milieu de vie ou dans les institutions qu'il fréquente ?

Rémi

Rémi était à la naissance de sexe féminin. Pendant toute son enfance, il s'est senti fort différent de par sa sensibilité et sa difficulté à se reconnaître dans les jeux des filles de son âge. La prise de conscience est venue après une période intense de lecture sur l'homosexualité, sur la psychanalyse, mais aussi sur le suicide… Alors qu'il se désignait encore sous le prénom de Sylvaine, il est tombé en arrêt devant une scène d'un film : dans *Priscilla, folle du désert*, lorsque les deux **drag-queens** héroïnes du film courent l'une vers l'autre et s'enlacent tendrement dans un ralenti… Sylvaine la repasse des dizaines et des dizaines de fois, avec une telle émotion qu'elle n'arrive pas tout de suite à percevoir ce qui se joue alors. Puis, c'est la révélation : elle est un homme, attiré par les hommes, et à partir d'aujourd'hui elle sera lui ! En pleine adolescence, ce type de prise de conscience ne va pas de soi et il (fini l'emploi du elle !) va se mettre maintes fois à l'épreuve pour être sûr de ce qui est en train d'émerger en lui. C'est avec sa mère qu'il a la relation la plus proche et il réussit à la convaincre de l'accompagner à la prochaine Marche des fiertés LGBT. Sa mère est alors persuadée que sa fille va lui annoncer qu'elle est lesbienne et elle tombe de haut lorsque Rémi, car c'est ainsi qu'il souhaite désormais se faire appeler (là aussi, le prénom s'est imposé à lui comme une révélation, comme pour une deuxième naissance), lorsque Rémi, donc, lui annonce de quelle nature est véritablement sa différence. Ils auront alors tous deux besoin non seulement de rencontrer d'autres personnes qui vivent une situation similaire, mais également de profiter d'échanges et de réflexions (livres, colloques, avis professionnels) qui pourront leur permettre de franchir des étapes et de se repérer dans un discours généralement pathologisant en ce qui concerne le non-conformisme de genre — et plus encore le passage d'un sexe assigné à un autre. C'est par le biais d'associations de transsexuels et de jeunes LGBT, que Sylvaine va autoriser Rémi à se dessiner un avenir bien à lui. C'est notamment grâce à la rencontre de Fabien, lui aussi transsexuel FTM (pour « Female To Male », femme qui devient homme) et homosexuel également, que Rémi va se sortir progressivement de sa solitude. Il s'affirme aujourd'hui comme transgenre et vit sereinement sa différence.

Se préparer pour la Marche des fiertés LGBT

La Marche des Fiertés Lesbienne, Gay, Bi et Trans (LGBT), souvent appelée antérieurement « Gay-Pride » ou « Lesbian and Gay Pride », est aux personnes de la diversité sexuelle ce que la fête nationale est aux patriotes ! Or, il ne viendrait à l'idée de personne de dire que les vétérans, par exemple, exhibent de façon éhontée leur singularité et qu'il est scandaleux que les enfants voient ça ! On reconnaît, au contraire, leur contribution humaine, notamment le fait qu'ils ont souffert... Justement, c'est parce que des homosexuels, bisexuels et transsexuels américains en ont eu marre des persécutions de la police new-yorkaise qu'en juin 1969 ils se sont rebellés (lors des émeutes du **Stonewall**) dans une révolte dont le jour anniversaire est vite devenu une fête. Ils ont ainsi inauguré ce qui deviendrait la célébration de la diversité sexuelle dans le monde, partout où une telle manifestation est possible (n'oublions pas que, dans un grand nombre de pays encore, des membres des « minorités sexuelles » sont persécutés, emprisonnés, torturés voire tués). Participer à cette marche est à la fois une occasion de vivre des moments de forte émotion et de joie partagée, mais aussi un acte militant qui rejoint le combat contre toute forme d'homophobie et de discrimination. À Paris et à Montréal par exemple, cette marche est devenue l'une des plus importantes manifestations publiques, et de plus en plus de personnes sympathisantes et de personnalités de tous les milieux y participent.

Comment te rendre à une telle manifestation ? Comment t'habiller et te préparer pour la fête ? Quels messages faire passer et sous quelle forme ? La participation à cet événement se prépare à l'avance. Tu peux, par exemple, contacter une association dont tu te sens proche : est-ce que ses membres participent à la Marche de la fierté et, si oui, peux-tu te joindre à eux ? Sinon, il te suffit de t'adresser à une association LGBT de la ville en question pour avoir le détail du défilé et des participations escomptées. Et puis, si tu hésites ou si tu ne te sens pas encore prêt à rejoindre le cortège « officiel », tu peux toujours commencer par le regarder passer... Cela dit, tu risques fort de te joindre malgré toi au défilé, emporté par le rythme endiablé de la musique ou par la chaleur de cette foule festive !

On est là pour rester !

ou

De la tolérance à l'inclusion sociale

La reconnaissance sociale de la diversité sexuelle ne va pas de soi, comme le montrent les débats parfois houleux provoqués par les revendications d'égalité des droits — droit au mariage civil, droit à la filiation et à l'adoption, par exemple. L'inclusion pleine et entière de tous les citoyens et citoyennes, quel que soit leur genre et quelle que soit leur orientation sexuelle, semble inévitable. Pourtant, nombreuses sont les forces qui s'y opposent et il n'est pas toujours aisé d'obtenir la pleine égalité. Les stratégies adoptées par les groupes qui ont le plus fait avancer ces causes au cours des dernières années permettent toutefois de tirer quelques leçons.

D'abord, il est souvent efficace d'utiliser à rebours le discours de vos adversaires. Ils se soucient du « sort des enfants » ? Rappelez-leur que les enfants non conformistes dans leur sexe ou leur orientation sexuelle sont parmi les plus vulnérables et les plus ostracisés — sans parler des tentatives de suicide ou des **suicides complétés** du fait d'une homophobie ambiante devenue intolérable. Mentionnons aussi que certains enfants de personnes de la diversité sexuelle se retrouvent souvent aux prises avec le même ostracisme que celui vécu par leurs parents. C'est l'intolérance homophobe qui blesse et parfois tue certains jeunes — pas l'homosexualité, ou le lesbianisme, ou le trans-sexualisme, ou le non-conformisme de genre.

Les lois évoluent? Non sans pressions. Et les discours publics et les pratiques sociales tardent, hélas, à suivre. Par exemple, presque tout le monde reconnaît que les gays et lesbiennes sont des citoyens à part entière, mais dans la mesure où cela ne semble pas affecter LES PRIVILÈGES ACQUIS DES PERSONNES HÉTÉ-ROSEXUELLES, tels que le mariage, la famille reconnue et soutenue par l'État, l'adoption, les différentes formes de filiation, les cérémonies publiques, etc. Cette hypocrisie doit être dénoncée de toutes les façons : lettres aux journaux, manifestations publiques, débats, pétitions, etc. Aucun groupe social, aucune minorité ne mérite la **tolérance** uniquement, qui est une forme de dédain (« Je te tolère, même si tu n'es pas comme moi. »). Seules l'acceptation pleine et entière et l'égalité sur tous les plans sont acceptables. Aussi, y a-t-il encore beaucoup de travail à accomplir. Et cela, en dépit d'une certaine évolution des lois et des mentalités depuis quelques années. Le tout petit nombre de pays où l'égalité des droits existe nous rappelle que, sur le plan mondial, la diversité sexuelle est une réalité trop souvent niée, bafouée, combattue même.

piege

On entend parfois: « *Moi, je ne suis pas contre le mariage des gays et lesbiennes; je suis contre le mariage tout court, et c'est pour ça qu'il faut combattre le mariage gay.* » Fort curieusement, la même personne ne s'est jamais battue pour abolir toutes les formes de mariage; elle se sert de son choix personnel uniquement lorsqu'il est question du « mariage gay » — terme par ailleurs inapproprié pour désigner le **mariage entre conjoints de même sexe**, car la reconnaissance d'une union fondée sur l'amour ne saurait avoir d'orientation sexuelle. Les mêmes personnes ajoutent volontiers: « *On ne peut pas dire que ça donne un bon exemple aux enfants… Pauvres petits qui ont des parents semblables: supporter la haine, les préjugés et surtout cette anormalité, ça doit pas être drôle. Et puis comment voulez-vous vous identifier à votre père, quand c'est une tante? Comment voulez-vous devenir une jeune fille normale, quand votre mère est camionneuse?* » Ici, les stéréotypes sexistes et homophobes se donnent la main. Ne leur tendez pas la vôtre! Remarquez, en passant, comment les homophobes blâment les gays, les lesbiennes et leurs familles des violences mêmes qu'ils subissent. Mais le discours n'est pas nouveau: les Noirs ont toujours été tenus responsables du racisme, les femmes du sexisme, etc.

éviter ce piège

Il faut distinguer deux plans dans le débat pour l'égalité: celui des droits, et celui, plus subtil, de la dimension symbolique. Séparer les deux pour mieux déconstruire les discours permet par ailleurs de semer la zizanie chez les adversaires de la diversité.

Certaines personnes refusent de considérer qu'il y a atteinte aux droits de la personne dans l'homophobie ou l'**hétérosexisme**. Pour elles, il est normal que les personnes qui ne sont pas exclusivement hétérosexuelles, et conformistes dans leur genre en plus, soient considérées comme des citoyens de seconde zone. « Égaux mais différents », c'est ce que prétendaient promouvoir les régimes d'apartheid. Les Blancs et les Noirs étaient en théorie égaux, mais tout dans la pratique conférait un statut inférieur aux personnes de couleur. Cette mentalité n'a jamais eu de raison d'être et les pays prônant l'apartheid ont dû mettre fin à leur régime discriminatoire. Ni la couleur de peau, ni la religion, ni l'orientation sexuelle ne devraient entraîner d'infériorité devant la loi ou devant les autres concitoyens. Tout discours infériorisant, qu'il soit raciste, sexiste ou homophobe, est inacceptable. Un droit est un droit, et il ne saurait y avoir de compromis (par exemple, des mariages de deuxième ordre, comme le PACS en France et l'union civile au Québec) ou encore des lois et règlements différents selon les catégories de citoyens (cela rappelle trop les régimes d'apartheid, mais aussi nazis).

La bataille contre les tenants de l'« ordre symbolique » est à la fois plus ardue... et plus rigolote. Plus ardue, parce que certains penseurs ont érigé en dogme certaines idées fausses : par exemple, que la famille nucléaire traditionnelle est garante d'équilibre psychique. Toute l'histoire de l'humanité démontre plutôt le contraire. La quasi-totalité des psychopathes ne proviennent-ils pas de familles dites traditionnelles? Depuis plus récemment, on sait par ailleurs, grâce à des recherches surtout américaines, que les couples de même sexe et leurs enfants (naturels ou d'adoption) sont tout aussi équilibrés que les individus vivant dans toute autre configuration familiale. Quant à la **coparentalité,** que ce soit dans un contexte hétérosexuel ou homosexuel, c'est un projet de vie. Ce dont les enfants ont besoin, c'est d'affection inconditionnelle de la part de leurs parents (parfois, il faut dire parent au singulier, ce qui est aussi une situation tout à fait viable — beaucoup de familles monoparentales peuvent donner des leçons de vie aux autres). Les enfants ont aussi besoin que les lois protègent, sans parti pris contre un des parents, les liens affectifs et sociaux qui leur permettent de grandir.

 En toutes circonstances, sache et rappelle-toi que la revendication de droits égaux pour les gays, lesbiennes, bisexuels et ambisexuels, sans oublier les transgenres et les non-conformistes sur le plan du genre est une nécessité, un signe ultime de qualité de la vie démocratique. On juge un gouvernement sur la façon dont il traite ses minorités et ses dissidents. Il ne saurait y avoir de citoyens de seconde zone auxquels certains droits, accordés à tous les autres, sont refusés sur la base de préjugés, de stéréotypes, de prétendues valeurs religieuses — certaines religions entretiennent une haine séculaire pour la diversité sexuelle — ou de considérations « psy », basées en fait sur l'intolérance et l'intégrisme les plus obtus.

Antoine

Antoine est un jeune homme de 17 ans, un des meilleurs de sa classe dans un lycée d'une grande ville de province. Il s'identifie comme homosexuel et est heureux d'avoir enfin un petit ami de 16 ans qui va au même lycée que lui. Cela fait plusieurs années qu'il sent cette forte attirance pour des garçons, mais les choses se sont accélérées le jour où ses parents ont découvert à son insu ses préférences affectives et sexuelles. Quand on aborde le sujet avec la mère d'Antoine, ses craintes sont que son fils soit « trop » ouvertement homosexuel, et surtout qu'il pense plus au sexe qu'à ses études. Pire, elle croit que pédophilie et homosexualité sont plus ou moins synonymes et, le cas échéant, que son fils finisse sa vie en prison… Le père d'Antoine, lui, pense que son fils est obsédé par le sexe et qu'il court des risques inconsidérés en vivant son homosexualité. Il pense également qu'Antoine n'aura pas la chance de connaître la joie d'être papa, et qu'il finira sa vie dans la solitude.

Laissons la parole à Antoine : « Le premier à qui j'ai dit que j'étais gay, c'est mon frère de 19 ans. Il m'a répondu : "C'est ta vie et, si t'es heureux, y a pas de problème." Puis je suis parti en Angleterre, dans le cadre d'un échange scolaire, et c'est là-bas, à 15 ans et demi, que j'ai connu mon premier mec. À mon retour, j'avais tellement envie de le revoir que j'ai demandé à mes parents si je pouvais l'inviter. Ils ont alors appelé ma famille d'accueil là-bas pour savoir qui était ce jeune homme. J'étais en confiance avec eux, je leur avais dit que j'étais homo, pensant que mes parents ne l'apprendraient pas. Erreur…

» Je me rappellerai toujours de ce jour-là. Je rentrais du lycée et je trouvais que mes parents avaient une bien drôle d'attitude. Je monte dans ma chambre et là, je vois tout de suite qu'ils l'ont fouillée : mes posters de prévention du sida avaient été arrachés, ma collection de préservatifs s'était envolée et même mes strings ! Et toute ma correspondance avait également disparu (je n'ai rien récupéré depuis). Alors mon père est arrivé et il a ouvert la porte sans frapper, ce que je déteste. Il m'a demandé : "Brian, c'est qui pour toi ?" Ma mère nous a rejoints et ils ont passé une heure et demi à me crier après et à pleurer ! Ce jour-là, ils ont perdu confiance en moi, mais, moi aussi, j'ai perdu confiance en eux ! Ma mère m'a dit que ça lui rappelait des souvenirs très douloureux, sans préciser quoi. À la fin, ils m'ont juste lancé : "Si t'es homo, on l'acceptera, obligés, mais là, c'est trop tôt !" Depuis ce jour, j'ai tout le temps l'impression d'être espionné. Avec ma mère au moins, on parle, elle ne mâche pas ses mots et passe son temps à se contredire, tellement elle est emmêlée dans tout ça. Par exemple, un jour elle me lance : "On fera tout ce qui est en notre pouvoir pour t'interdire de sortir avec un mec, même de ton âge" et le lendemain : "Je préférerais te savoir à la maison avec ton mec plutôt que de te faire enculer dans un bar !" Ce qui me fait mal, c'est qu'ils ne me connaissent pas du tout tel que je suis. Toute discussion est impossible tellement ils sont sûrs de tout connaître, d'avoir raison dans leurs préjugés sur les gays et leur avenir.

» Quelques mois plus tard, la tension était toujours là. Je n'en pouvais plus de subir les agressions verbales de mes parents. Alors j'ai commencé à me lacérer les bras avec un couteau. Je ne voulais pas vraiment me foutre en l'air, mais je voulais me punir de faire souffrir mes parents et d'être comme ça! Le lendemain, en partant au lycée, j'ai vu un mot sur la table de la cuisine. Ma mère avait écrit: "Je suis allée promener le chien, il y a du pain pour le PD." Je l'ai très mal pris et j'ai paniqué. Je suis remonté dans ma chambre et, sans trop savoir ce que je faisais, je me suis tailladé les veines. Heureusement, sans gravité, et l'infirmière de l'école qui m'a pansé a suggéré d'avoir une bonne explication avec ma mère. En rentrant à la maison, elle m'a dit que PD signifiait petit-déjeuner! Je l'ai supplié d'éviter d'écrire ce genre de mots à l'avenir, pour éviter toute confusion. Alors, pour une première fois depuis des mois, elle a souri, puis m'a pris dans ses bras et m'a dit: "Antoine, jamais je ne dirais ça de toi! Tu es mon fils et je t'aime!"

» Depuis, c'est le statu quo, mais ce qui me blesse, c'est que je ne suis plus Antoine tout simplement. Je demeure Antoine-le-pédé à leurs yeux, je suis l'obsédé sexuel qu'ils voient en tout homosexuel. Tiens, par exemple, la voisine demandait l'autre jour que je garde ses enfants. Moi, je ne voyais pas où était le problème, ma mère si: elle m'a demandé de lui promettre que je ne caresserais pas les enfants! J'ai trouvé ça extrêmement blessant. Je dois dire que je ne sais pas trop quoi faire mais, surtout, que j'ai peur de moi-même, car dans moins d'un an, je serai majeur et je crains de claquer la porte à jamais si ça continue comme ça. Mais, parallèlement, je suis très impliqué à mon lycée et ça me fait beaucoup de bien. J'essaie actuellement de convaincre le proviseur d'organiser une semaine de lutte contre le sexisme et l'homophobie, afin de lutter contre les préjugés, de favoriser l'**acceptation** des différences dans les orientations affective et sexuelle, et d'aider à l'acceptation de l'homosexualité par les futurs adultes que sont les élèves. Il faut penser à l'avenir, car la majorité des élèves seront aussi parents plus tard et peuvent se trouver confrontés à l'homosexualité d'un enfant. Eh bien, je peux te dire une chose : ça a du mal à passer! Mais je persévère. Je ne souhaite pas que d'autres jeunes aient à vivre l'incompréhension comme je la vis. »

Organiser une semaine de lutte contre les discriminations

Il fut un temps où il était impossible de parler d'homosexualité, et même de sexualité (c'est encore le cas, hélas, dans beaucoup établissements scolaires), sans attirer les foudres sur les malheureux qui en avaient eu l'idée. Les « années sida » ont contraint un certain nombre de responsables politiques et institutionnels à aborder, quoiqu'avec d'infinies réticences, le thème de l'homosexualité, mais rarement encore celui de l'homophobie. Aujourd'hui, il arrive souvent que le raccourci « homosexualité = sida » soit le seul moment où le sujet est abordé. Par exemple, dans un établissement scolaire, on organise un événement autour de la journée mondiale de prévention du sida, le 1er décembre, comme si seuls les homosexuels étaient concernés. Nelson Mandela a dit de l'épouvantable épidémie qui sévit en Afrique que le premier problème vis-à-vis du sida, hormis évidemment le virus lui-même, était un problème de droits de l'homme! Ainsi, quel que soit l'établissement scolaire que tu fréquentes, le thème des discriminations doit y être central. Les premières démarches à faire, c'est de te renseigner sur ce qui a déjà été fait sur la question, sur le moment le plus propice de l'année pour en parler, sur les thèmes liés aux discriminations les plus susceptibles de rejoindre les populations desservies par ton école, sur les instances de décision qui doivent accorder leur autorisation et, enfin, sur le type de projet envisagé (exposition, stands, colloque ou conférence, etc.). Une fois ces différents éléments connus, il te reste à aller à la rencontre des associations homosexuelles et de lutte contre l'homophobie dont tu as connaissance, mais aussi de celles liées aux luttes contre toute forme de discrimination, afin de voir ce qu'elles pourraient proposer comme participation. Très nombreuses sont les « minorités » concernées à un titre ou à un autre par une forme de rejet ou d'exclusion; les personnes qui ne sont d'aucune façon touchées par une forme ou une autre de discrimination sont plutôt rares, si on y pense. D'une initiative de sensibilisation peuvent émerger des prises de conscience, des rencontres, mais aussi des projets constructifs et des solidarités nouvelles. En plus, peut-être, de favoriser une dynamique nouvelle dans ton milieu scolaire, faisant en sorte que la diversité sexuelle soit davantage perçue comme faisant partie de la grande diversité humaine.

On a le droit de rire !

ou

Du ridicule à l'humour gay-camp

Tourner en ridicule est une des tactiques favorites de l'homophobie. Est-on pour autant condamné à rester un objet de ridicule et de mépris ? Non. On peut justement contre-attaquer par l'humour, mais en faisant cette fois tourner les choses à son avantage, comme le fait l'**humour gay-camp**, en subvertissant les repères habituels de sexe, de genre et d'orientation sexuelle.

Les numéros en général hautement appréciés des **drags queens** et des **drags kings** illustrent bien cette utilisation du cliché, du stéréotype, afin de s'en moquer. L'humour camp joue sur les stéréotypes liés au genre, en les exagérant de façon comique pour qu'ils apparaissent dans toute leur superficialité et tout leur ridicule. Vous croyez les gays féminins et les lesbiennes masculines ? Alors on va vous en mettre plein la vue ! Des films comme *Priscilla, folle du désert* ou encore *À Wong Foo pour toujours*, mettant en scène des drags queens qui ne manquent ni d'audace ni de mordant, en dépit — ou à cause — de leur sensibilité, sont des archétypes de l'humour camp. Une série télé comme *Cover Girl*, qui remporte un succès certain sur les ondes de la télévision québécoise au moment où nous écrivons ces lignes marche sur les mêmes traces.

L'humour en lui-même est un redoutable outil de persuasion. Pensons par exemple à Charlie Chaplin dans *Le Dictateur*, qui montre la fatuité et les contradictions, pour ne pas dire le ridicule, d'un personnage comme Hitler… À l'époque (c'est-à-dire au tout début de la deuxième guerre mondiale, avant qu'Hitler ne révèle à visage découvert le tyran qu'il était), le film fit scandale. Des décennies plus tard, on ne peut qu'admirer la perspicacité de Chaplin. Même en politique, l'usage de l'humour pour désarçonner ou démasquer un adversaire est souvent très efficace.

On entend parfois dire que les gays auraient davantage le sens de l'humour. Ce serait, dit-on, un des secrets de leur survie. Attention de ne pas tomber, une fois de plus, dans le stéréotype : il y a des gays et des lesbiennes qui n'entendent rien à l'humour, même entre eux, hélas. Cesser de se prendre un instant au sérieux peut pourtant être salutaire tant sur les plans personnel que collectif. Quand on rit — y compris, gentiment, de soi — les choses nous apparaissent sous un autre angle.

L'humour gay ou camp est à la fois autodérision et subversion des rôles masculins et féminins ou des stéréotypes qui y sont attachés. C'est une manière de foutre en l'air les logiques hétéroconservatrices en se moquant des choses prétendument sérieuses et, à l'inverse, en feignant de prendre au sérieux les choses les plus futiles, en transgressant par exemple les repères de sexe et de genre. Les **Sœurs de la Perpétuelle Indulgence** sont un merveilleux exemple de cette attitude. Elles font quelque chose de sérieux, la prévention des MTS (Maladies Transmises Sexuellement) et du sida, mais d'une façon complètement folle, parfois loufoque, bien qu'efficace : on ne peut pas les rater ! Elles offensent certains ? Soit. Mais le rôle de l'humour en général n'est-il pas de débusquer le ridicule même sous les choses les plus « sacrées » ? L'important, c'est que le message passe. Une Sœur de la Perpétuelle Indulgence nous a ainsi raconté que, lors d'une manifestation caritative, une « vraie » religieuse, très âgée, était venue la voir en lui serrant les mains chaleureusement, pour lui dire : « Chapeau, j'ai compris que, vous et nous, nous faisons le même travail. »

Dans son ouvrage *Saint Foucault*, David Halperin propose une intéressante typologie de l'humour queer-gay-camp :

• L'appropriation créative ou la **resignification**, qui consiste à prendre un mot ou une expression négative pour en faire quelque chose de positif. Le mot « queer », à l'origine négatif, désignant des marginaux, a subi un tel sort. Réapproprié pour en faire une expression positive, cela devient une expression rassembleuse.

• La **théâtralisation**, qui consiste, par exemple, à mettre en scène des choses habituellement considérées « normales » en les présentant comme bizarres. Ainsi, on peut écrire des articles sur « L'hétérosexualité, ce douloureux problème », sur le « coming out » hétérosexuel, ou donner des conseils sur « Comment avouer à vos parents que vous aimer une personne d'un autre sexe ? »…

• La **démystification**, qui consiste à dévoiler les intentions et intérêts cachés sous les discours édifiants ou moralisateurs de façon à les rendre risibles ou désuets. Par exemple, dire que c'est l'homophobie qui est immorale et non pas l'homosexualité renverse, à bon droit, la perspective traditionnelle.

Enfin, rappelons que l'humour est l'un des mécanismes principaux de la résilience, c'est-à-dire de cette faculté humaine exceptionnelle qui permet de résister aux traumatismes et aux mauvais coups de la vie (à la manière des personnages principaux des films *Forest Gump* ou *La vie est belle*, par exemple).

On te dira, avec une apparente gentillesse : *« Oui, c'est vrai, les gays et les lesbiennes ont tellement d'humour ! Faites-moi donc rire un peu pendant que vous êtes là, parce que vous en êtes, n'est-ce pas ? Je l'avais deviné tout de suite à votre façon de :*

a) parler,   b) vous habiller,
c) marcher,   d) regarder les personnes de votre sexe,
e) toutes ces réponses simultanément… »

Réponds :
« Oui c'est vrai, les gays et lesbiennes se reconnaissent entre eux… » Et termine avec un méchant clin d'œil et ton plus beau sourire !

Apprends à rire de bon cœur de toi-même. On peut très bien être sérieux sans trop se prendre au sérieux… En ce sens, ne tolère pas que l'on RIE DE **toi**, mais plutôt que l'on RIE AVEC **toi** — tu y prendras vite plaisir…

Thierry

Thierry est un jeune universitaire, au début de la vingtaine, qui étudie les sciences sociales. Brillant, il est le meilleur copain de nombre de ses collègues de classe, les filles en particulier, qui apprécient son humour ravageur, sa bonne humeur communicative. Ses longs cheveux roux, impeccablement placés, ses sourcils épilés, son visage légèrement rehaussé de maquillage rappelle que, le soir venu, Thierry est l'une des vedettes d'un bar de travesti situé non loin de l'université.

Quand on lui demande de se raconter, Thierry dit qu'il a eu, somme toute, une enfance standard. Sauf que, très tôt, il a découvert qu'il prenait plaisir à revêtir, en cachette, les vêtements de sa mère, de ses sœurs. Prenant de l'assurance, il s'est mis à imiter, dès l'adolescence, certaines vedettes féminines de la chanson populaire, dans des fêtes familiales et même scolaires (en dépit des sarcasmes qu'il essuyait de la part de certains garçons, « de toute façon jaloux de mon succès, de mon sex appeal » laisse tomber en souriant le principal intéressé). Sa performance surprenait, dérangeait parfois — ses parents auraient préféré qu'il imite des chanteurs ! —, mais plaisait finalement. Il y avait là un talent certain pour l'imitation, mais aussi pour la parodie, Thierry aimant faire rire. C'est alors qu'il s'est intéressé de plus près au phénomène des drag queens, ces travestis volontairement outranciers qui font la pluie et le beau temps dans certains bars urbains.

Après avoir vu, et de nombreuses fois, tous les shows de travestis et de drag queen de la ville, il s'est décidé à passer une audition. « Mais, avant toute chose, il fallait me fabriquer un personnage bien à moi, différent de tout ce que j'avais vu », dit-il. En tenant compte de son gabarit physique — il est plutôt grand et un peu fort de taille — et de sa personnalité réelle, il bricole un costume et un personnage qui lui vont comme un gant : une drag queen aussi snob que désabusée, à la répartie assassine mais très « haute société ». Le succès est immédiat. On l'engage dans la troupe du bar où pour la première fois il a tenté sa chance.

« C'est amusant et puis ça contribue pas mal à payer mes études, raconte Thierry. C'est certain que ça fait toujours bizarre quand je dis aux gens quel métier je fais en dehors des cours. Le monde des drags queens semble pas mal éloigné du monde universitaire, même si je ne compte plus les étudiants que j'ai vus dans le bar où je me produis ! »

Le phénomène de l'humour camp, si caractéristique des drags queens, passionne notre jeune homme — qui en a parfois fait un objet de recherche dans certains cours. « C'est sûr que derrière le comique des personnages et des situations, il y a un profond désir d'être aimé et aussi comme un désespoir. Tu ris, tu es drôle, mais pour faire oublier tout le reste. »

Malgré son succès et son grand nombre d'amis, Thierry n'a pas encore rencontré, déplore-t-il, un jeune homme avec qui partager des projets sentimentaux : « C'est difficile pour les gens de faire la différence entre toi et ton personnage. Et puis, quand ils te connaissent, ils sont parfois déçus de retrouver un gars bien ordinaire derrière la drag queen flamboyante. Enfin, dans le milieu gay, les garçons que l'on dit efféminés ont rarement la cote. Le même garçon qui va t'applaudir à tout rompre ne va même pas jeter un regard sur toi une fois que tu es descendu de scène… Mais, bon, vaut mieux en rire… Et à défaut d'être pour l'instant aimé d'un homme, je me dis que je suis aimé de la foule ! Comme les vraies stars, quoi ! »

Proposer un festival de films d'humour LGBT

La plupart des films humoristiques qui abordent la question de l'homosexualité (tels *La cage aux folles* ou, plus récemment, *Pédale douce* ou *Gazon maudit*) oscillent entre le registre « **rire de** » et « **rire avec** ». Mais ils ont probablement joué un rôle quant à la reconnaissance de l'homosexualité ou du lesbianisme comme réalité. À leur façon et en leur temps, chacun de ces films a sans doute aidé à faire accepter une visibilité accrue de la diversité sexuelle.

Toutefois, la majorité des films d'humour gay-les-bi-trans appréciés par les personnes concernées (ne dit-on pas qu'on repère un bon restaurant japonais au fait que les Japonais y vont ?) sont ignorés du grand public. Proposer aux cinés-club scolaires ou municipaux des films abordant l'homosexualité, le lesbianisme, la bisexualité ou le transgenrisme (suivi éventuellement d'un débat où l'on creuserait cette différence entre « rire de » et « rire avec ») est une façon de mieux faire connaître ces réalités. Identifier les meilleurs films peut être l'occasion de faire le tour de ceux achetés ou enregistrés par des amis, d'aller aussi en glaner dans des associations homo-bi-trans, et pourquoi pas, en dernier recours et en fonction de ton budget, de te faire quelques cadeaux ?

Dans toutes les capitales de la francophonie, il existe des librairies spécialisées qui ont un rayon vidéo-DVD où l'on pourra sans doute guider tes choix. Voici quelques films marquants — il y en a beaucoup d'autres : *Celluloïd Closet, Le secret est dans la sauce, Le placard, Pourquoi pas ?, À Wong Foo pour toujours, Priscilla, folle du désert, Torch Song Trilogy, Le baiser de la femme araignée, My Beautiful Laundrette, Go Fish, Ma vie en rose.* Certains sont en fait tragicomiques, mais tous portent un regard intelligent sur les réalités abordées.

Il y a depuis quelques années une véritable explosion de longs métrages qui présentent (enfin) l'homo-bi-trans-sexualité sous un jour positif, voire heureux. Des aspects difficiles à aborder y sont traités avec nuance comme dans *Tous les papas ne font pas pipi debout* sur le thème de la parentalité lesbienne ou homosexuelle (et non pas « homoparentalité », terme qui donne à penser que les parents homosexuels désignent un type de famille à eux seuls). De plus en plus de téléfilms sont aussi produits sur le sujet, comme *Juste une question d'amour* ou *La reine du bal,* sans parler de séries comme *Queer As Folk* ou *Six pieds sous terre*, ces deux derniers exemples apportant une note d'humour sur des thèmes parfois très graves.

Assez de mensonges !

ou

De l'ignorance à la connaissance

Tant que la connaissance a été l'apanage d'institutions et de personnes sexistes et homophobes, il a été facile de traiter les gens de la diversité sexuelle de pervers, de malades, de criminels, de pécheurs, etc. En développant nos propres connaissances sur les aléas et les problèmes, mais aussi les bonheurs et les réalisations des gays, lesbiennes, bisexuels et transgenres nous ouvrons un nouveau champ de connaissance, notamment sur les plans social et scientifique.

Plusieurs débats nous interpellent encore, dans lesquels il est difficile d'intervenir sans informations pertinentes et appropriées : par exemple, combien y a-t-il de gays ou de lesbiennes ? Il en va de même pour les débats sur les sempiternelles prétendues « causes » de l'homosexualité. Toutes ces recherches sont le plus souvent aussi farfelues qu'étriquées (à ce sujet, on pourra se reporter au chapitre intitulé « La recherche des causes de l'homosexualité : une science-fiction » dans l'ouvrage *La peur de l'autre en soi*).

L'histoire même des conduites et des personnes de la diversité sexuelle a été tronquée, passée sous silence, longtemps tenue pour taboue. Pire : encore nombreux sont les enseignements qui déblatèrent sur tout ce qui n'est pas hétérosexualité exclusive. Il y a beaucoup de rattrapage à faire. C'est à toi d'exiger, à l'école et ailleurs, que les textes prônant, subtilement ou pas, une vision sexiste et homophobe ne soient plus les seules interprétations retenues des réalités gay-les-bi-trans. En particulier, il faudrait que les luttes ardues pour la survie et la reconnaissance des droits et libertés des personnes **LGBT** trouvent plus d'écho dans les cours sur le respect de soi et des autres, sur la vie en société, sur les droits humains.

On entend ad nauseam : « *Le lobby homo et lesbien a maintenant gagné sur toute la ligne. Où est-ce qu'on va ! Ce ne sont plus des criminels, ni des malades mentaux, certaines religions les acceptent même (il y a des évêques gays et des pasteures lesbiennes, imaginez donc !). Ils veulent nous faire croire que c'est normal. C'est du lavage de cerveau, tous ces pseudo-scientifiques, tous ces intellectuels qui veulent renverser nos valeurs, qui pervertissent nos jeunes, en les forçant à écouter ces âneries, comme quoi il n'y a pas de différence entre aimer un homme et une femme. Trop, c'est trop ! L'homosexualité n'est pas naturelle, mais immorale. Même les animaux ne s'abaissent pas à ça !* »

éviter ce piège

« Monsieur, Madame, j'ai le regret de vous dire que vous ne connaissez guère le monde animal, où la diversité des préférences sexuelles est la règle. Mais vous préférez ne pas le voir, comme vous préférez hélas ne pas le voir chez les autres personnes… La diversité sexuelle a toujours été là. L'actualité vous force à le reconnaître désormais. Quant à moi, je considère comme hautement immorale la discrimination et le mépris exercés sur les gays, lesbiennes, bisexuelles et transgenres, rien n'étant plus destructeur que la haine. »

à trucs à retenir

Exige un discours inclusif partout où tu te trouves, c'est-à-dire un discours qui n'élimine pas d'office les personnes de la diversité sexuelle, mais qui prend, au contraire, pleinement en compte leur existence et leurs réalités. Par exemple, une fille n'a pas toujours à avoir un petit ami ; il peut très bien s'agir d'une petite amie. Idem pour les garçons. Présumer de l'orientation hétérosexuelle de tout le monde est trompeur et réducteur. C'est une forme insidieuse d'hétérosexisme.

Il en va de même de l'idée que tout garçon déteste s'associer à ce qui relèverait du féminin (attitudes, vêtements, métier, etc.) et que toute fille a horreur du masculin en elle-même. Beaucoup de jeunes ne sont pas d'emblée sexistes et valorisent aussi bien les qualités traditionnellement attribuées à chaque sexe (ou à chaque genre, comme préfèrent dire les sociologues).

N'accepte pas que les stéréotypes règlent ta vie ; tu vaux mieux que ça. Exige aussi que l'on présente une image positive des réalités de la diversité sexuelle, que ce soit dans les cours d'histoire, d'art, de français, où elle est le plus souvent gommée. Par exemple, on parle rarement des conjoints de même sexe des « grands personnages » alors qu'on ne fait aucun mystère sur les relations de couples de sexe différents.

Enfin, il importe que l'on parle aussi, quand cela est requis, des problèmes spécifiques aux gays, lesbiennes, bisexuels et transgenres, tel que les difficultés scolaires ou même les tentatives de suicide dues au harcèlement, les fugues et l'itinérance dues au rejet parental, la toxicomanie due à l'homophobie intériorisée, etc.

La lecture d'ouvrages de références dans le domaine de la diversité sexuelle — on peut aussi, pour s'encourager, créer des groupes de lecture ou de discussion — est souvent un palliatif au manque chronique de renseignements fournis aux jeunes dans le cursus scolaire traditionnel. Les livres ne manquent pas et les études en sciences humaines et sociales sont de plus en plus nombreuses (en histoire, en sociologie, dans les études littéraires, etc.) qui font état des réalités gay, lesbiennes et autres. Profites-en et fais en profiter les autres.

Le témoignage d'Allan

« J'ai toujours été bisexuel dans ma tête. J'étais tout jeune ado que j'avais déjà des jeux sexuels avec des garçons de mon âge, ce qui ne m'empêchait pas de regarder les filles, au contraire! C'est avec une cousine que j'ai eu ma première relation hétéro. Je pensais que ça allait me faire oublier les garçons, que des jeux-là c'était juste en attendant les filles, mais je me trompais.

» Pourtant, comme j'avais l'air plus vieux que mon âge dès 14-15 ans, je ne manquais pas de filles dans ma vie! Mais je sentais qu'il me manquait quelque chose. J'ai toujours été attiré par des hommes plus matures, peut-être parce que je n'ai pas beaucoup connu mon père, décédé quand j'étais tout jeune.

» Vers la fin de mon adolescence, plus ou moins autour de 18 ans, j'ai commencé à aller dans des lieux de drague gay, les parcs et les saunas principalement. Je me suis aperçu que j'avais beaucoup de succès. J'étais très grand, mince, assez costaud. Les gars qui ne m'approchaient pas, c'est probablement parce qu'ils avaient peur de moi; paraît que j'ai un look de jeune policier.

» Les gens pensent que les bisexuels sautent sur tout ce qui bouge: c'est faux. Il y a certaines filles qui me plaisent, d'autres pas. Il y a des hommes qui me plaisent, d'autres pas. Avec les filles, j'ai plutôt des relations amoureuses suivies. On se fréquente, quoi. Avec un homme, c'est beaucoup plus rare. En général, je me limite à des aventures, je ne garde aucun contact. Un gars rencontré dans un parc ou un sauna s'attend à ça de toute façon. La plupart vont là, comme moi, parce que leur bisexualité serait mal vue si elle était connue.

» Pourtant, oui, il m'est arrivé de fréquenter deux ou trois hommes comme on fréquente une fille.

C'était des hommes gentils pour moi, qui m'écoutaient, avec lesquels je me sentais important. Ils avaient une bonne situation dans la vie, on sortait au resto, à la campagne, la belle vie…

» Mais à un certain moment, j'ai dû prendre une décision parce que j'étais entre deux feux. Je voulais sortir sérieusement avec une fille, j'avais en tête de me marier même, et là je ne pouvais plus avoir une double vie. J'ai donc fait une croix sur les hommes, au moins un certain temps. Mais finalement cette fille-là, elle m'a trompé, elle m'a laissé tomber, et j'ai tout perdu parce qu'on partageait un appart ensemble. Je me demande encore, des fois, si j'aurais pas été mieux avec un homme, mais, bon, je vis comme hétéro et je ne me vois pas retourner sur mes pas. Mais, bon, oui, j'ai des aventures assez régulièrement avec des hommes. Il y a un lieu de rencontre pas loin de chez moi et j'y vais de temps à autre. La femme que j'aime actuellement est pas très sexuelle ; après des hésitations, j'ai repris certaines habitudes. Je fais très attention pour ne pas rapporter des maladies à la maison, je me protège. Je me sens coupable, des fois, de lui mentir. Aux hommes que je rencontre, je ne mens pas, Je leur dis que je suis en couple avec une femme. La plupart sont dans le même cas que moi. J'aimerais aussi dire la vérité à ma conjointe, mais j'aurais trop peur qu'elle me rejette.

» On entend peu parler de la bisexualité, on ne sait rien là-dessus. Quand on en parle, c'est encore pire que l'homosexualité ! Du côté des homos comme des hétéros, les bis c'est comme de la merde, comme des gens pas décidés, des homos qui s'acceptent pas ou des obsédés. J'aime le sexe, oui. Mais je n'abuserais jamais de quiconque. Si j'ai envie d'une femme ou d'un homme, c'est que je ressens une affinité. Et puis j'aime séduire.

» Le problème quand t'es bisexuel, c'est d'être fidèle. En tout cas, c'est ça pour moi. Si je suis avec une fille, je me dis qu'aller avec un garçon est moins grave : je ne la trompe pas avec une autre. Comme j'ai une vie hétérosexuelle, je me tourne vers les mecs pour les aventures. De toute façon, les aventures, les hommes semblent plus habitués à ça. Ils prennent ce que tu donnes et s'en contentent... Je suis pour la fidélité, mais pour un bi c'est sûrement plus compliqué. C'est comme si tu avais besoin de deux choses différentes pour être satisfait, pour être comblé. Mais qui va comprendre ça ? »

Inviter un spécialiste sympa pour une discussion

Puisque l'intolérance tient de l'ignorance, les aidants spécialisés dans l'intervention auprès des personnes de la diversité sexuelle (il y en a de plus en plus), qu'ils soient **psychiatres, psychologues, psychanalystes, psychothérapeutes**, travailleurs sociaux ou sociologues, peuvent jouer un rôle « réparateur » en remettant les choses à leur place, en informant adéquatement. En passant par les associations que tu auras repérées dans ta région, ou encore par des auteurs qui écrivent là-dessus, il te sera sûrement facile d'obtenir quelques noms, puis de les contacter pour savoir dans quelles conditions ces aidants pourraient intervenir dans ton milieu.

Ensuite il te faut choisir l'organisation qui accueillera cette conférence (plus elle est reconnue et mieux c'est, car cela donne une légitimité plus grande à l'événement). Une grande variété de partenaires, qui ne sont pas forcément des associations LGBT (par exemple, des associations contre les violences ou contre les discriminations en général, des groupes de femmes ou d'hommes...), permettra éventuellement de toucher un large public, surtout ceux qui ne sont pas déjà sensibilisés autrement.

Tire parti des événements nationaux qui permettent d'aborder la question, comme la Journée mondiale de prévention du sida (le 1er décembre), la Journée nationale de prévention du suicide (en février en France et au Québec), ou encore la Journée nationale de lutte contre l'homophobie (instituée par l'Assemblée nationale du Québec, elle a lieu autour du 1er juin ; le 17 mai est la date proposée ailleurs dans le monde par un collectif français).

Pour ce type d'opération, un financement modique suffit souvent, la plupart des intervenants ne demandant que le remboursement de leurs frais de déplacement. Si tu fais précéder le débat d'un film ou d'une pièce, voire d'un spectacle d'improvisation sur le thème (des ligues d'improvisation sympathisantes existent dans toute la francophonie), tu pourras demander une modeste contribution à l'entrée. Reste la diffusion de l'information pour qu'il y ait du monde: si les partenaires que tu réussis à trouver pour organiser l'événement ou le parrainer sont nombreux (pense aussi aux associations de jeunes en général, aux syndicats, etc.), tu n'auras aucune difficulté à mobiliser la presse et les médias locaux.

Personne ne me marche dessus!

ou *De la stigmatisation au respect*

La protection des lois, on le sait, est essentielle mais ne suffit pas toujours. Si les institutions sociales ne se mobilisent pas pour que le respect des différences soit une préoccupation quotidienne — en particulier chez les plus jeunes, à l'école et dans les organisations de sport et de loisir —, l'évolution des mentalités stagnera. Et si des mesures répressives tardent à apparaître là où le respect de la diversité sexuelle est bafoué, le message sera clair pour tous les intolérants et homophobes en puissance, y compris les plus violents.

Tous les responsables du bien-être et du développement des jeunes devraient non seulement être sensibilisés à l'existence de la diversité sexuelle, mais aussi à l'importance de lui donner la place qui lui revient chaque fois que cela est possible : dans les discours, bien sûr, mais aussi dans les attitudes, les actions, en particulier quand il importe de dénoncer les intolérances et les violences. Ou encore d'intervenir en faveur de l'accueil des différences.

Trop de gens croient, hélas, qu'appeler à la reconnaissance de la diversité sexuelle relève du prosélytisme. Comme si rien que d'entendre parler d'une sexualité différente suffisait à faire en sorte que tout le monde veuille, ipso facto, et de façon irrépressible « essayer ça ». La réalité est tout autre. Encourager les garçons à respecter les filles ne les amène pas à vouloir devenir des filles. Encourager le respect des personnes de religion différente n'a jamais incité quiconque à changer de religion. Croire que le seul fait de dire les mots « homosexuel » ou « lesbienne » ferait en sorte que tout le monde ressentirait dès lors le désir irrépressible de passer aux actes est ridicule. Seule une profonde homophobie peut mener à de telles inepties. Reconnaître une réalité ne contribue en rien à l'encourager ou à la décourager. Mais tout simplement à faire en sorte que ceux qui la vivent se sentent un peu mieux acceptés dans leur environnement humain. Ni plus, ni moins.

Beaucoup de gens claironnent haut et fort qu'ils « *n'ont rien contre les homos* »… En ne manquant jamais d'ajouter un « *aussi longtemps que…* », « *sauf que…* », qui contredit l'instant d'après l'affirmation première. On n'a rien contre les gays, lesbiennes ou les trans, bien sûr, mais « *tant qu'ils restent discrets* », « *dans leurs ghettos* », « *aussi longtemps qu'ils ne s'affublent pas comme ces folles des défilés de la Fierté Gay* ». Car ces gens « tolérants » en ont vu des vertes et des pas mûres! Il y a ce voisin dont ils entendent les gémissements « *immondes* » à travers les murs lorsqu'il « *baise comme une bête* » avec des gens « *de son espèce* ». Mais tant mieux, peut-être, « *pendant ce temps, il ne corrompt pas les jeunes comme tant d'homos le font — sinon, comment se reproduiraient-ils ?* » Le tolérant t'aime, à condition que tu restes silencieux, caché et honteux. Ça le rassure. Ton bonheur au grand jour, ça, il ne supporte pas…

Pour mieux démonter les mécanismes homophobes, il est important de pouvoir cerner le phénomène. Selon Flora Leroy-Forgeot, il existerait trois formes d'homophobie : l'**homophobie active**, l'**homophobie passive** et l'**homophobie de détournement**. Prenons l'image d'un iceberg : la forme émergée de l'iceberg, la plus petite, concernerait en fait l'homophobie active, c'est-à-dire le rejet clair et affirmé de l'homosexualité mais aussi de ce qui lui est associé (celles et ceux qui sont non conformes dans leur féminité/masculinité, et les proches des personnes homosexuelles, par exemple) : dans le quotidien, cela va de l'insulte au passage à l'acte violent, au viol ou au meurtre. Une telle homophobie est le fait d'une minorité, mais d'une minorité agissante, voire militante, surtout dans certaines mouvances de droite et du côté des intégrismes religieux. C'est ce qui caractérise le plus la **gayphobie** ; même si les lesbiennes « qui se montrent » subissent également la **lesbophobie**. L'homophobie passive, qui est considérablement plus importante, comme la partie immergée de l'iceberg, est celle qui agit le plus sournoisement dans la dévalorisation des personnes homosexuelles : cela consiste à faire comme si l'homosexualité n'existait pas, ou si peu, à professer que c'est juste une erreur de parcours et que tout va bientôt rentrer dans l'ordre si on ne s'en occupe pas. La troisième forme est la plus tenace, et serait représentée, de façon métaphorique, par l'eau glaciale qui entoure l'iceberg : c'est l'homophobie de détournement, où l'homosexualité est en apparence acceptée alors qu'en réalité elle n'est que tolérée, et encore… Par exemple, on va dire que les homosexuels sont tous, après tout, des gens charmants, sensibles, créatifs (et ceux qui ne le sont pas ?). Ou encore qu'on n'a rien contre les gays et lesbiennes, mais que voir ou savoir leurs couples reconnus nous donne la nausée : comment peut-on penser que de telles unions sont les égales des unions, « normales », entre un homme et une femme ? La **biphobie** et la **transphobie**, formes de rejet sous-estimées entre toutes, sont soumises le plus souvent à ces mêmes processus, y compris, trop souvent, dans les milieux communautaires homosexuels. Ce qui est inconnu, ou du moins méconnu, fait peur.

On te dira qu'on accepte bien les LGBT : il le faut bien, puisque l'on n'a pas encore trouvé les causes de ce malheureux « *dérèglement* » de la nature.

éviter ce piège

Ne perds pas de temps à tenter d'expliquer les « causes » ou les prétendues origines de tes goûts et attirances. À partir du moment où tu les considères légitimes, une telle démarche est au mieux une perte de temps, au pire ridicule. Quelles sont les causes du désir, des attraits érotiques, vestimentaires, culinaires, artistiques, musicaux et autres ? On n'en sait rien et à vrai dire on s'en fout. Plus de cent ans de recherche acharnée sur les origines de l'homosexualité masculine n'ont donné que des fadaises. Oublions ça et tournons cette triste page. De surcroît, devoir sans cesse s'expliquer ou se justifier d'être différent te placera dans une position de défense, de vulnérabilité, d'infériorité. Cela n'a pas lieu d'être. Tu es comme tu es.

Ne quémande pas le respect ; tiens-le pour acquis et, quand il n'est pas au rendez-vous, exige-le fermement, en invoquant tes droits de citoyen, même si tu es encore mineur. Par exemple, si quelqu'un t'injurie ou te bouscule intentionnellement, porte plainte. Les harceleurs doivent comprendre que tu ne te laisseras pas faire. Cela dit, prends tout de même des mesures de sécurité si tu es la cible d'un groupe organisé : joins-toi à une association d'entraide, à un groupe de défense des droits, ou demande l'aide d'adultes en position d'autorité que tu sais être de ton côté (tu finiras toujours par en trouver, quitte à chercher un peu), ou de la police qui, en principe et en pratique, doit protéger tout citoyen. Cela dit, dans certaines villes, il convient encore d'éviter d'être seul dans des lieux ou des situations qui rendent vulnérable. Cela ne t'empêche pas d'œuvrer activement — avec tes amis, parents ou sympathisants, et avec les autorités scolaires ou policières, au besoin — pour que la situation rentre dans l'ordre là où la sécurité des personnes n'est pas assurée. L'intolérance ou l'homophobie des autres n'a pas à devenir ton problème, même si tu dois les dénoncer et les combattre.

Une discussion entre Valérie et Laurence

VALÉRIE. — Ma sexualité, j'en ai parlé à l'infirmière, qui m'a envoyée à une femme médecin scolaire, qui, elle, s'est avéré être homophobe. Elle m'a fait des remarques affligeantes! Par exemple, j'ai quitté mes parents pour aller vivre avec Laurence et c'est compliqué car mon père n'est pas d'accord. J'ai dit au médecin que j'habitais avec une amie et elle m'a dit : « *Il faut faire attention, il y a tellement de déviations lesbiennes de nos jours!* » J'ai dit que je savais ce que je faisais et elle m'a répondu : « *Tu crois, à ton âge?* » Heureusement j'ai eu le soutien de l'infirmière et j'ai fait une lettre de plainte contre cette femme médecin. Il était hors de question que je la revois. Mais, bon, j'ai dû la revoir, en urgence, et elle a trouvé le moyen de critiquer un prof de maths qui est homo. « *C'est normal, il n'aime pas les femmes!* » qu'elle a dit à propos d'un je-ne-sais-quoi! Dire qu'elle travaille à faire soi-disant de la prévention auprès des jeunes des écoles!

LAURENCE. — On peut comprendre qu'il y ait un décalage de générations, mais il y a des limites qu'on ne peut dépasser. Moi-même, quand j'étais jeune, beaucoup de personnes à qui je m'étais confié ont pensé que c'était une passade… Je pensais que ma mère me comprenait de mieux en mieux, alors qu'en fait elle voulait croire que ça passerait. Maintenant elle m'évite, en voyant que je ne changerai pas. Alors que mon père, au début, il m'a dit : « Es-tu bien sûre de ton état ? » Il m'envoie des courriels où il salue ma copine, mais on se voit trop rarement. Je n'ai plus de contact avec mon grand frère, car ma mère a coupé les ponts ; alors lui aussi ne donne pas de nouvelles. Mon petit frère, je le vois, quand ma mère ne l'en empêche pas. J'ai fait une croix sur ma mère, elle m'a fait très mal… Elle a joué les femmes ouvertes d'esprit, en fait elle voulait juste gagner du temps pour me « convertir ».

VALÉRIE. — Mon amie et moi, on s'est rapprochées beaucoup après ma tentative de suicide. Mais quand sa mère nous voyait ensemble, elle concluait que c'était cette « mauvaise fréquentation » qui était la cause de mon trouble. Alors que c'était tout le contraire. À 13 ans, j'avais été agressée sexuellement par trois amis en qui j'avais confiance, et mes tentatives de suicide étaient une façon d'essayer d'en finir avec ces souvenirs horribles. Pour beaucoup de personnes — et pour mes parents aussi — qui se posent la question, il y aurait un lien entre mon homosexualité et ce viol. Moi, je n'arrive pas à savoir. Ce que je sais c'est que je suis bien avec Laurence et que je ne vois pas pourquoi j'aurais toujours besoin de justifier ce bien-être, cet amour-là, qui est la plus belle chose qui me soit arrivée dans la vie. Je n'arrive pas à comprendre qu'il y ait des gens qui trouvent à redire à propos d'une relation qui rend deux filles qui ont souffert enfin heureuses !

Accompagner le dépôt d'une plainte pour harcèlement ou violence homophobe

La première chose à faire pour aider quelqu'un qui a été harcelé ou violenté est de se renseigner sur les lois en vigueur qui concernent le harcèlement ou la violence en raison de l'orientation sexuelle. Ces lois diffèrent d'un pays à l'autre et sont aussi en constante évolution : par exemple, à l'heure où nous rédigeons ces lignes, les codes pénaux français et canadien voit comme des circonstances aggravantes que des délits ou des crimes soient de nature homophobes. Des associations qui luttent contre l'homophobie ou pour les droits de la personne — et il y en a dans toute la francophonie —, pourront t'aider dans ta démarche. Dans tous les cas, il faut décrire la nature de l'agression, toutes ses caractéristiques contextuelles et factuelles, s'il y avait des témoins, si l'on a identifié un ou plusieurs agresseurs, si la victime a porté plainte et si on y a donné suite.

Tu peux aussi faire des recherches documentaires afin de montrer qu'il y a encore un énorme tabou autour des agressions homophobes. La grande majorité, en effet, est passée sous silence ou ne débouche pas sur le dépôt d'une plainte. Pire encore : il peut arriver, hélas, que les plaintes ne soient pas du tout instruites parce que les autorités tendent à blâmer la victime ! Certains agresseurs présentent la seule existence de l'homosexualité comme une agression. Ainsi, dans certains procès américains, une prétendue « panique anti-homosexuelle » a été invoquée pour justifier des meurtres, sous le prétexte que la vue de tout ce qui suggère l'homosexualité rendait le prévenu hors contrôle ! (Il faut se demander si pareil raisonnement fonctionnerait si on invoquait une pseudo panique « anti-personnes de couleur » ou « anti-femmes » pour justifier des crimes racistes ou la violence faite aux femmes.)

Quant aux victimes, il ne s'agit pas de les convaincre de déposer une plainte, mais de les informer du changement que cela a entraîné dans la vie de ceux qui ont eu le courage de se battre pour faire aboutir la procédure (par exemple, l'Affaire Nouchet en France : cet homme, brûlé vif parce qu'homosexuel, n'a pas craint de porter plainte suite à son agression sauvage). La justice peut jouer un rôle réparateur fondamental. Lorsqu'une personne est victime d'abus sans que la loi n'ait pu lui porter secours, elle a le sentiment d'être abusée une deuxième fois, (ce qui accroît notamment le risque de dépression, voire de passage à l'acte suicidaire comme réaction à ses traumatismes).

Je sais me défendre...

ou

De la vulnérabilité à la protection

Se défendre des attaques verbales, physiques, médiatiques ou politiques est une nécessité sur le plan personnel aussi bien que collectif. Trop nombreux sont les jeunes de la diversité sexuelle à essuyer, encore aujourd'hui, des moqueries, des remarques désobligeantes, des injures, des humiliations, des menaces, des sévices physiques même. On ne le dira jamais assez : aucun jeune ne devrait avoir à endurer un tel traitement ! Aussi, si cela t'arrive ou si l'un de tes amis en est victime, il est primordial de ne pas rester les bras croisés et de réagir promptement.

Beaucoup de jeunes — et de moins jeunes —, stigmatisés du fait de leur différence, en viennent à accepter cette oppression, à s'y résigner comme à une fatalité. Ils deviennent des victimes idéales pour tout agresseur (ce qui ne signifie pas, attention, que si tu es victime de violences homophobes c'est toi qui l'as cherché !). Cette passivité est souvent encouragée du fait que, puisque personne ne se porte à la défense de ces jeunes, ils en viennent à penser que ce qu'on leur fait subir est tout à fait normal.

Personne n'est condamné à être victime. Et, s'il est vrai qu'on ne choisit pas d'être victimisé, on peut, par la suite, choisir de ne plus tolérer l'inacceptable (par exemple, d'être, le « **pédé de service** » sur lequel tout le monde peut taper sans retenue et sans que ça porte à conséquence).

La meilleure façon de lutter contre la stigmatisation, c'est de la refuser — pour soi d'abord, pour les autres ensuite. Ce qui signifie, dans ce dernier cas, montrer sa solidarité avec les personnes harcelées (d'où l'importance des groupes de soutien) ou encore étendre la source de stigmatisation à tout le monde — si tous tes amis se mettent à dire qu'ils sont gays, lesbiennes ou bisexuels à leur tour, les homophobes devront, vu la force du nombre, se tenir tranquilles (c'est d'ailleurs une tactique utilisée dans le brillant dénouement du film *Le pot aux roses*).

En cas de harcèlement, de menaces ou de violences :

• Informe la personne harceleuse — ce peut être aussi un groupe de personnes — que son comportement ne sera pas toléré. S'il n'est pas possible ou souhaitable de le faire toi-même, demande à une personne de confiance d'intervenir en ton nom.

• Si l'individu ou le groupe qui te harcèle n'amende pas sa conduite très rapidement, alerte sans délai les autorités concernées (par exemple, la direction de l'école, si c'est là que ça se passe) et aussi la police : personne, sous quelque prétexte que ce soit, n'a le droit de te faire des menaces. Nous avons connu un étudiant qui a fait arrêter et condamner un ouvrier de la construction qui travaillait à rénover l'édifice où il habitait. Ayant aperçu un poster gay dans l'appartement du jeune homme, le monsieur en question l'abreuvait d'insultes et de menaces à teneur homophobe chaque fois qu'il l'apercevait. Le juge lui a fait comprendre qu'une telle conduite était inacceptable.

• Si la situation ne rentre pas dans l'ordre à la suite de ces démarches, ou, pire, si elles ne sont pas prises au sérieux, il peut être indiqué d'alerter les médias de la région (de plus en plus d'individus, surtout s'ils appartiennent à des organisations ou les représentent, craignent d'être dénoncés comme homophobes). Cela dit, si une situation devient publique, il est bon d'être conseillé pour éviter des dérapages ou des faux pas (par exemple être accusé de ternir la réputation de quelqu'un). Aussi, si les choses en viennent là, il serait bon de profiter des conseils d'un avocat (certains groupes militants peuvent te mettre en contact avec un juriste ; certains avocats acceptent de conseiller ou d'aider de telles causes gracieusement).

Apprendre à se protéger, c'est d'abord apprendre à connaître les lois et règlements qui, petit à petit, font progresser les droits et libertés des lesbiennes, gays, bisexuels, transgenres et autres membres de la diversité humaine. C'est surtout apprendre à les utiliser, ces lois et règlements, le temps venu.

Appartenir à un **groupe de soutien** (voir l'expérience pratique proposée ci-dessous) ou à une association militante peut aussi jouer un rôle de protection face aux agressions. On sait que tu ne seras pas seul à réagir… ou à contre-attaquer, au besoin.

Cela dit, les cours de techniques d'autodéfense peuvent être utiles, ne serait-ce que pour te sentir moins vulnérable. Il n'est pas nécessaire d'être costaud pour en suivre. La plupart de ces techniques se servent de la force de ton adversaire, pas de la tienne… La plupart des lesbiennes et des gays n'auront jamais à se défendre physiquement, mais avoir le sentiment que tu serais en état de le faire décuplera ta confiance en toi. Au fait, à quand des cours d'autodéfense « pour et par » des LGBT? Il y a là un marché vraiment sous-développé, si l'on peut dire. Certains hommes gays bodybuildés, qui peuvent impressionner par leur carrure, auraient hélas peine à contrecarrer un maigrichon qui sait où et comment frapper. Se protéger, c'est non seulement connaître les armes de l'adversaire, mais savoir les utiliser aussi au besoin.

Flore

Flore, tout le monde la prend pour un garçon. Que ce soit dans un commerce ou à l'université, la première fois qu'on la voit on lui dit « Bonjour, monsieur ». Et elle ne parvient ni à en parler ni à nommer son malaise face à la réaction des autres devant son involontaire non-conformisme de genre… Un jour, elle entend parler par une éducatrice d'un espace de parole où des jeunes qui se sentent différents, voire rejetés ou pointés du doigt, peuvent venir en rencontrer d'autres pour échanger, partager et se soutenir mutuellement. Là, elle rencontre Max. Parce qu'il était « différent » des autres, avec son look frêle et pas du tout « branché », il s'est fait maltraiter pendant toute sa scolarité au point d'avoir constamment la peur au ventre. Max et Flore créent rapidement entre eux une relation de complicité et d'encouragement mutuel. La sœur de Max, qui aurait aujourd'hui le même âge que Flore, s'est suicidée il y a quelques années de cela, sans que l'on sache pourquoi. Il s'est toujours senti coupable devant ce suicide qu'il n'avait pas vu venir ; avec Flore, c'est un peu comme si Max « réparait » quelque chose de sa propre histoire. Soutenue par son ami, Flore arrive un jour à l'espace de parole avec la ferme intention de parler enfin de ce qu'elle n'arrive pas à dire. Pendant deux heures, elle tourne autour du pot, puis finit par lâcher qu'elle est « H »… et qu'elle n'aime pas ce mot, encore moins celui de l. e. s. b… C'est la première fois qu'elle se révèle ainsi, et c'est un tel soulagement ! Gagnant en confiance en elle-même, Flore participe peu de temps après à la réalisation d'une plaquette de sensibilisation pour les jeunes afin de prévenir les discriminations. Elle propose, par exemple, de se servir de cartes pour produire des juxtapositions de mots à partir desquelles amorcer des discussions de groupe : REGARD D'AUTRUI

— HONTE — HANDICAP — ÉMOTION — HORS NORME — RUMEURS — HUMILIATION — ISOLEMENT — COULEUR DE PEAU — RELIGION — MOQUERIES — SEUL CONTRE TOUS — APPARENCE PHYSIQUE — RACISME — HOMOPHOBIE — BLESSURE — MINORITÉ — GÊNE — APPARENCE VESTIMENTAIRE — BESOIN D'AIDE — ÉCOUTE — LIBERTÉ… Cette activité est maintenant mise en pratique à l'école fréquentée par Max et Flore, où l'on souhaite qu'une meilleure information et une sensibilisation aux maux causés par les discriminations et les harcèlements améliorent la vie de tous les élèves.

Mettre en place un groupe de parole et de soutien

À la différence d'un groupe militant ou d'un groupe axé sur des activités récréatives, le groupe de parole et de soutien a pour but d'aider formellement les jeunes dans les problèmes qu'ils vivent au quotidien. Ce groupe a donc un aspect thérapeutique, si l'on peut dire, qui est absent, ou du moins secondaire, dans les autres types de groupes.

Courage : quand tu en parleras à des aidants scolaires ou à des responsables d'activités para-scolaires dont l'appui est en général nécessaire pour qu'un tel groupe puisse se constituer et se tenir, il se peut que tu te butes à des réticences. Par exemple : « Pourquoi vouloir cibler des jeunes déjà pas-comme-les-autres ? De toute façon, nous n'en avons pas chez nous… ». Le mieux à faire, c'est d'identifier un aidant connu pour son ouverture d'esprit face à la diversité sexuelle, que tu n'auras pas besoin de convaincre. Cette personne pourra sans doute t'aider à annoncer le démarrage du groupe, à trouver un lieu propice pour tenir ses réunions et, du moins dans un premier temps, à les animer.

Il peut être indiqué, pour ne pas dire stratégique, de donner à ce groupe ou cette association naissante un but assez large : par exemple, aider les « exclus parmi les exclus », pour rejoindre celles et ceux qui souffrent en silence de la haine environnante, quand ce n'est pas de la violence. L'union fait la force. Par exemple, un regroupement dans un établissement scolaire qui a récemment accueilli l'un des deux auteurs de cet ouvrage s'appelle « Le regroupement étudiant dans la diversité sexuelle ». Il regroupe, de fait, des jeunes de toutes orientations sexuelles qui ont pour but commun de lutter contre les préjugés.

Il faut ensuite élaborer une façon d'atteindre le public-cible que l'on veut rejoindre : des affiches, des annonces dans le journal de l'école, des références par des aidants de l'école sensibilisés à la démarche, etc.

L'un des moyens pour bien démarrer un tel groupe est de proposer un espace de parole, animé, idéalement, par deux aidants (de préférence un homme et une femme, afin de bien faire sentir que c'est ouvert aux filles et aux garçons — et aux autres, le cas échéant). Il est important aussi, pour ne pas rendre davantage vulnérables ceux qui feront la démarche de venir, de situer l'espace de parole hors de l'institution scolaire — ou du moins hors des moments où tout le monde s'y retrouve —, en tout cas à l'abri des regards indiscrets.

Tu auras, toi aussi, ton rôle à jouer, ne serait-ce que pour partager ton parcours avec d'autres : qu'est-ce qui t'a amené à songer à créer un tel groupe ? Les premières choses entendues dans de tels groupes sont généralement : « Je me sens différent des autres jeunes », ou « J'ai peur qu'on me rejette si je dis ce que j'ai au fond de moi », « Je me sens complètement à part » et toutes autres variations sur ce thème. Cela nous rappelle que ce n'est pas l'intolérance ambiante qui est la plus destructrice, c'est tout ce qu'on a engrangé comme rejet de soi — par exemple une homophobie intériorisée.

Ce qui est extraordinaire dans la participation à un groupe de soutien, c'est qu'il rend ses participants plus forts, tant sur un plan individuel que sur un plan collectif. Ne plus se sentir seuls au monde, développer un sentiment d'appartenance et de solidarité à l'intérieur d'un groupe peut représenter quelque chose de formidable pour des jeunes qui ont, plus souvent qu'à leur tour, vécu des rejets de la part de leurs pairs.

On est bien vivants !

ou

Quand les victimes deviennent acteurs sociaux

Lesbiennes, gays, bisexuels, transgenres et autres supposés marginaux ne sont pas condamnés à demeurer victimes de l'hétéroconservatisme ou de l'homophobie, que ces dernières soient le fait de leurs proches, des institutions, des médias ou des politiques. Mais il faut parfois reconnaître qu'on a été des victimes pour refuser désormais ce statut et devenir pleinement des acteurs sociaux, c'est-à-dire des citoyens qui militent pour l'amélioration de leurs conditions de vie. Seul un engagement quotidien entêté peut contribuer à changer les mentalités, les lois et les traditions qui ont si longtemps été défavorables aux LGBT, en particulier aux jeunes.

Un certain nombre de représentants de la diversité sexuelle se complaisent, hélas, dans la mentalité de victime. Ils semblent croire que si l'on a été victime un jour, on est condamné à l'être pour toujours. Ce fatalisme ne peut que nourrir un apitoiement sur soi (ou sur ses semblables) qui n'est guère mobilisateur.

Quand tu es tenté de te laisser aller au défaitisme, songe un instant à toutes les personnes opprimées, à tous les groupes minoritaires qui ont fini par prendre la place qui leur revenait. C'est une chance de vivre à une époque où, du moins en Occident, la réalité de la diversité sexuelle est de plus en plus reconnue, bien qu'elle demeure encore sujette à débats. Les militants des droits de la personne qui, depuis des décennies, ont travaillé à faire en sorte que les réalités LGBT soient visibles et légitimes, n'ont pas œuvré en vain. Mais il importe que leur flambeau soit repris en main pour que la marche vers la pleine reconnaissance soit menée à son terme.

Le témoignage de Sahd

« Ma famille vit en Tunisie, et je suis venu en France pour les études. Mais c'est la même discrimination partout… En Tunisie, j'ai travaillé avec des associations de lutte contre les discriminations… Ici, les gays de mon pays qui se regroupent, c'est plutôt pour fêter… J'ai rien contre ça, sauf que je pense qu'il doit y avoir des activités pour exprimer des choses qu'on ne peut pas exprimer à la maison par exemple… Il y a quelques années j'ai été en dépression, j'avais des idées suicidaires, mon psychiatre m'a conseillé d'aller à l'hôpital, mais quand j'ai commencé à raconter ce que j'avais vécu, j'ai été surpris : personne ne semblait comprendre ma situation et mon double isolement de déraciné et d'homosexuel. Pour la psychiatre, le traitement c'était les médicaments, et dormir, dormir, oublier quoi ! Et, à l'hôpital, ils ont commencé à m'engueuler en me disant que c'était à moi de régler mes problèmes ! Je me souviens qu'un lundi matin, je suis descendu à l'accueil pour partir, car j'étais entré volontairement à l'hôpital psychiatrique, et la psychiatre m'a dit : "Tu ne vas pas sortir. On va t'envoyer dans un pavillon fermé." Et là, sept infirmiers m'ont mis à terre, puis m'ont enfermé dans un pavillon... J'étais en état de choc et j'ai eu l'impression de devenir fou, d'autant que j'ai vu des patients qui étaient là depuis 25 ans et qui n'ont jamais pu sortir... Et, vous vous rendez compte, je n'ai jamais vu le médecin pendant que j'étais là ! Ils ont finalement décidé de me relâcher, et j'ai vu le médecin passer, mais il ne s'est pas approché de moi. Un infirmier m'a juste donné mon congé, mais sans rien me dire du tout. J'ai été surpris qu'on me lâche complètement comme ça, avec plein de médicaments, alors que je pensais au suicide. Je ne comprends pas pourquoi ils font ça... Au travail — j'étais plongeur dans un resto —, quand j'ai parlé de moi, le chef m'a dit : "Ce n'est pas ta place ici, tu devrais plutôt travailler dans un bar ou une discothèque !" Et puis, ils ne m'ont plus rappelé... J'ai bien compris pourquoi. Il y a des gens dans mon entourage qui sont extrémistes, qui se jettent dans la religion pour se défendre de ce qu'ils ressentent... S'ils vont cinq fois par jour à la mosquée, ils n'iront pas en enfer! Ils sont obligés de se marier, c'est une coutume dans mon pays d'avoir des enfants, qui que tu sois, mais en même temps tu peux faire ce que tu veux en cachette. Il y a beaucoup de jeunes qui souffrent, car ils n'acceptent pas leur homosexualité et leurs mères veulent qu'ils aient des enfants. J'en ai rencontré, de ces jeunes, et même des Asiatiques, des Africains... Il faut corriger l'image de l'homosexualité, on croit que c'est seulement une relation physique et c'est là que commence la discrimination. Un homo, c'est pas un animal, encore moins une bête de sexe, c'est d'abord un être humain!

Je vais te dire, chez les jeunes beurs comme moi, 30 à 40 % de ceux qui subissent de la violence sont homos ou bis, même s'ils se comportent comme des hétéros. Il faut jouer le jeu, sinon tu es agressé par les tiens et rejeté par ta propre famille. Il faudrait faire de la prévention, d'abord dans les écoles, faire des conférences, pour dire aux jeunes que l'homosexualité, ce n'est pas une maladie, que c'est normal, que ça existe partout et que ça peut concerner tout le monde. Après, il faut combattre tout ce qui relève d'une mentalité étouffante... Il ne sert à rien de passer par les mosquées, car là, on part de trop loin, mais on peut sensibiliser les associations de quartier pour qu'elles sensibilisent les mères, qu'elles expliquent qu'il ne faut pas mélanger la religion et la réalité civile, que leurs enfants ont le droit de vivre heureux. La religion des uns n'a pas à devenir la loi forcée de tous. Il faut aussi des centres d'écoute et d'aide accessible partout, car les professionnels, même les psys, ne comprennent pas trop les ados gay ou lesbiennes. La plupart des jeunes n'ont que trois choix : soit assumer, soit mener une double vie en se sentant coupables, soit se suicider… Et c'est encore trop rare ceux qui assument, en particulier dans certaines communautés. À la clinique où je consultais pour dépression, si tu parlais d'homosexualité, oh la la… Ça m'est arrivé : on était dans un groupe de thérapie, et tout le monde est resté dans le silence quand j'ai dit que j'étais gay, comme si fallait pas en parler. Du coup, j'ai changé de sujet… Il m'est arrivé pire avec un psychologue : on faisait un jeu de rôles, où tout le monde raconte sa souffrance vécue, et j'ai dit que j'avais envie de prendre la parole… Mais le psy m'a regardé, le visage dur, fermé : la veille de la séance, il m'avait dit : "Pas de jeu de rôles pour toi". Maintenant, je ne me laisserais pas faire, car j'avais de vrais problèmes avec ma famille qui me rejette. Si je ne peux pas parler des vrais problèmes avec ceux qui sont supposés être là pour ça… J'aimerais travailler à rendre les professionnels plus conscients de leur influence sur les jeunes et des dégâts qu'ils peuvent causer par leur silence, par leurs propres tabous. Quand on ne nous donne pas de place, on finit par comprendre que le seul moyen est de la prendre nous-même. »

Informer et former les professionnels

Beaucoup d'initiatives sont menées en milieu scolaire et dans les espaces fréquentés par des jeunes, sur le thème de la santé, de la citoyenneté et des discriminations. Mais rares sont les expériences centrées sur l'homophobie et même sur le rejet des différences pour des questions de stéréotypes basés sur le genre. Or, on sait que les jeunes étiquetés, à tort ou à raison, comme homosexuels, sont les plus susceptibles de subir l'ostracisme au quotidien, en particulier s'ils ne correspondent pas aux stéréotypes masculins (si ce sont des garçons) ou féminins (si ce sont des filles). Pour aider les jeunes touchés par ces formes de rejet, il ne s'agit pas, comme certains le croient, d'assister les aidants du milieu à les repérer — surtout lorsque ces aidants véhiculent eux-mêmes des préjugés. L'une des premières actions à mener consiste plutôt à proposer une intervention auprès de l'ensemble de l'équipe d'intervenants scolaires, sous forme de sessions de sensibilisation. Il existe maintenant, dans plusieurs pays francophones, des personnes-ressources et des programmes communautaires (animés par des groupes de défense des droits ou des associations) ou ministériels (c'est le cas au Québec, notamment pour les programmes "Pour une nouvelle vision de l'homosexualité") susceptibles d'assurer de telles prestations, le tout pour un coût minime, voire gratuitement.

On peut contacter ces ressources aisément ; les grandes associations LGBT les connaissent ou en sont parties prenantes. Attention, si l'on veut démarrer une nouvelle initiative de ce type, on doit porter une attention particulière aux compétences pédagogiques des intervenants. Il ne suffit pas, par exemple, d'être homosexuel, lesbienne ou militant associatif, pour savoir mener ce type de sensibilisation. Animateur, c'est un métier qui s'apprend, qui nécessite aussi une certaine expérience et un souci pédagogique. Idéalement, vérifie par toi-même si tu es à l'aise avec la façon de faire d'une personne ressource avant de lui proposer d'intervenir dans ton établissement scolaire. Prends aussi des renseignements sur les directives ministérielles qui pourraient appuyer et surtout légitimer ta démarche : ces directives sont de plus en plus nombreuses, quoique, hélas, pas toujours suivies[1]. Enfin, utilise tout ce qui a pu se passer autour de toi, et qui soulève le problème de la méconnaissance de la diversité sexuelle, pour justifier la démarche proposée (note qu'il est plus stratégique de se mettre à plusieurs pour faire une telle démarche).

Parfois des intervenants scolaires se rendent compte eux-mêmes de la situation et se proposent volontiers de participer à une remise en question de leurs pratiques. Par exemple, dans le collège X, à la suite des moqueries incessantes et du harcèlement répété dont était victime un jeune de 14 ans, jugé féminin dans son attitude, l'assistante sociale et

---

1. Au Québec, il existe une directive d'orientation ministérielle sur « l'adaptation des services sociaux et de santé aux réalités homosexuelles », et aussi, relevant du ministère de la Santé et des services sociaux, deux programmes de sensibilisation et de formation destinés aux intervenants sociaux sur les réalités homosexuelles : « Pour une nouvelle vision de l'homosexualité », et « Adapter nos interventions aux réalités homosexuelles », volet jeunesse (« Les jeunes, leurs familles et leurs milieux de vie ») et volet adulte (« Les adultes, leurs couples et leurs proches »).

l'infirmière scolaire ont abordé en réunion d'équipe les comportements suicidaires qu'il manifestait. Cela a provoqué les railleries de certains profs. Mais cette réaction a convaincu la responsable de l'établissement de la gravité de la situation : ce jeune était en danger, puisqu'il était la risée non seulement d'une bonne partie des jeunes, mais des adultes supposés l'aider eux-mêmes ! Une formation de trois jours sur l'homophobie et les discriminations liées au genre pour toute l'équipe éducative fut promptement organisée. Elle comprenait entre autres des témoignages éclairants, qui permirent de comprendre que ne pas combattre activement l'ostracisme quand il se manifeste, c'est l'encourager.

On ne veut pas de vos étiquettes !

ou

Comment se définir soi-même et refuser que les autres le fassent pour soi

Sur le plan historique, les mots liés à l'orientation sexuelle et à l'identité de genre sont relativement récents. Avant le milieu du XIXe siècle et jusqu'en 1940 environ, selon les contrées et les classes sociales, les relations sexuelles entre personnes de même sexe n'entraînaient généralement pas pour ceux qui les pratiquaient d'être étiquetés comme homosexuels, c'est-à-dire quelqu'un ayant une orientation sexuelle spécifique et une personnalité particulière. Certains hommes, certaines femmes, avaient des relations occasionnelles ou même fréquentes avec des personnes de leur sexe, sans que leur entourage ne songe un instant qu'ils étaient pour cela différents des autres. Il pourrait en aller encore de même aujourd'hui, si ce n'était l'obstination hétéroconservatrice à séparer le monde en catégories binaires et hermétiques quand il est question de sexualité. Cette perspective voudrait que le monde soit naturellement divisé en deux : les hommes et les femmes, le masculin et le féminin, les hétéros et les homos. Or, rien n'est plus erroné que cette vision-là. Ainsi, les comportements et désirs homosexuels, comme les comportements et désirs hétérosexuels, concernent beaucoup de gens. Que l'on choisisse par la suite de s'identifier sur cette base, c'est autre chose. Il en va de même pour les prétendues qualités masculines ou féminines. Ce qui est une qualité chez un homme devrait en être une aussi chez une femme, et vice versa, non ? Sans compter que le masculin et le féminin, ou du moins ce que l'on définit comme tel, non seulement ne s'opposent pas, mais peuvent volontiers se superposer !

Combien de fantasmes ou de rapports homosexuels faut-il avoir pour ÊTRE ou DEVENIR gay ou lesbienne ? Bien malin qui saura répondre. Combien de rêveries ou de relations hétérosexuelles faut-il pour ÊTRE ou DEVENIR hétérosexuel ? Une, dix, cent, mille ? Et puis il y a des gens qui se considèrent comme homosexuels uniquement en fonction de leur désir et de leur amour pour une personne de même sexe, même si ce désir et cet amour ne se sont jamais actualisés. Inversement, des personnes dont la majorité des activités érotiques sont homosexuelles se perçoivent hétérosexuelles. Que doit-on conclure de tout cela ?

Qu'il est réducteur et ridicule de séparer le monde en deux et de penser, par exemple, que « les homos vont avec les homos » et « les hétéros avec les hétéros ». Il y a plein de jeunes femmes et de jeunes hommes plutôt hétérosexuels qui peuvent parfois être attirés par des personnes de leur sexe et, inversement, il y a des gays et lesbiennes qui se prennent parfois à désirer, un peu, beaucoup, passionnément, des personnes de l'autre sexe. Des récentes recherches montrent que 20 % des jeunes, garçons et filles, ont des relations homosexuelles[1]. Tous ne s'identifieront probablement pas pour autant comme homosexuels ou lesbiennes. Les désirs sexuels sont labiles, parfois imprévus : nous séduit qui nous surprend, qui nous permet d'envisager un petit instant les choses sous un autre angle, de faire une « révolution à deux » comme le disait si bien Francesco Albéroni dans son ouvrage phare *Le Choc amoureux*. Sans compter que le genre, et pas seulement le sexe, joue un rôle important dans la séduction. Or, la masculinité et la féminité se retrouvant, à des degrés divers, dans tous les sexes, autant la féminité d'un garçon que la masculinité d'une fille peuvent être aussi attirants que leurs caractéristiques disons plus traditionnelles.

« *Avoue donc ton homosexualité (ou ta bisexualité, etc.).* »

Comme nous l'avons déjà suggéré, tu n'as rien à avouer, tu n'es pas devant un tribunal ou dans un confessionnal, et si tu souhaites révéler quoi que ce soit de toi-même, c'est à toi de décider du moment et des termes pour le faire.

---

1. Kaiser Family Foundation, États-Unis, 2002, cité dans *XY Survival Guide 2003* ; plus un Sondage CROP-*La Presse*, août 2004.

Tu as et tu auras toujours le droit de te définir toi-même comme bon te semble et avec les mots qui te conviennent le mieux. Il se peut même que ta perception des choses change avec le temps, ce qui est aussi OK.

Le témoignage de Marco

« On me dit que je suis différent des autres, que j'ai des gestes efféminés ; moi, je trouve pas ! Mais je laisse parler… Je suis hétéro et j'ai une copine qui, elle, ne s'en plaint pas de ma soi-disant féminité. Aujourd'hui, on a du mal à accepter la différence, que ce soit l'homosexualité ou autre chose. C'est injuste de dire que je suis efféminé, car on est comme on est et je sens bien que ce mot-là est négatif pour ceux qui l'emploient. Il ne faut pas plaquer d'image sans connaître les gens. J'ai toujours senti ça par rapport à moi. Je sens ce regard sur mon côté dit efféminé depuis l'adolescence. Aujourd'hui je côtoie des homos, car j'aime la compagnie des homos, aussi des hétéros ouverts d'esprit, des bis… C'est vrai que je porte des pantalons serrés et que je suis sexy. J'aime que les gens regardent mon corps, c'est tout. Les hommes préhistoriques, ils étaient tout nus et ça ne gênait personne ! On a tous une partie masculine ou féminine, et c'est plus développé chez certains, ça dépend peut-être de la manière dont on a été élevé. Pour moi, c'est important d'accepter les différences ! Moi, je suis comme ça, point final, et je demande simplement qu'on m'accepte. C'est surtout par rapport à l'apparence physique que juger est illogique. Qu'on soit gay, ou gothique, ou costard-cravate, ce n'est pas à la personne de changer, on n'a pas à changer sa façon d'être... Le numéro un de l'injustice morale, c'est encore par rapport à l'homosexualité. Et le féminin chez un homme fait tout de suite penser à ça. Aujourd'hui, c'est le sujet le plus tabou : par exemple, on voit deux hommes s'embrasser, et on dit que c'est une nuisance, que c'est pas beau, alors que deux femmes, c'est érotique pour les hétéros, on accepte mieux... Pourquoi ? Et si c'est un homme et une femme on trouve ça forcément beau. Depuis trois ans, je côtoie le milieu homo, car j'ai une amie lesbienne que j'ai accompagnée dans son acceptation. On lui avait tellement dit de choses sur ce milieu-là (qui n'étaient pas justifiées) qu'elle en avait peur. On est beaucoup plus respecté dans le milieu homo que dans le milieu hétéro et je peux le prouver par ma propre expérience. C'est vrai qu'on se lâche et qu'on fait des choses qu'on ferait pas dans le milieu hétéro. Quand on a appris à respecter les différences, ça va très bien ensuite, tout coule ! Aujourd'hui, des gens se rendent malades avec les apparences. Des tas de filles font de l'anorexie car on leur a dit que c'est comme ça qu'une femme doit être pour paraître belle ! »

Le jeu des étiquettes

Voilà une expérience facile et même agréable à organiser. C'est une mise en situation avec des gens qui sont volontaires pour expérimenter ce que c'est que d'être étiqueté comme lesbienne, gay, bisexuel ou transsexuel. D'abord fabrique des étiquettes autocollantes portant les mentions HÉTÉRO-SEXUEL-LE, HOMOSEXUEL-LE, BISEXUEL-LE, TRAN-SEXUEL-LE, et fais-en assez pour le nombre de personnes participantes. Mets une majorité d'hétéros, si tu veux, mais pense à y inclure au moins un quart à un tiers d'étiquettes portant la mention *lesbienne, gay, bi* ou *trans*. Distribue ces étiquettes au hasard, sans regarder ce qui est écrit dessus. Quand chacun a son étiquette, la consigne est de placer cet autocollant sur soi, de façon à ce qu'il soit visible pour les autres. Déjà, certains diront qu'ils refusent une étiquette qu'ils n'ont pas choisie, même dans un jeu, mais insiste, sans les forcer bien sûr, pour qu'ils fassent confiance au meneur de jeu. Donne ensuite quelques minutes aux participants pour voir quelles étiquettes portent leurs camarades. Puis accorde une ou deux minutes à chacun pour s'exprimer là-dessus : comment il se sent de porter son étiquette ? Et comment il se sent vis-à-vis des étiquettes portées par les autres ? Laisse ensuite le temps à chacun d'aller à la rencontre des autres pour voir comment il est perçu. Tu vas voir que cet exercice est fort révélateur. Beaucoup de personnes diront qu'elles n'aiment pas se sentir étiquetées, que cette mise en situation les met mal à l'aise. Il s'en trouvera toutefois pour dire que n'ayant aucun préjugé, cela ne les dérange d'aucune façon ; pousse alors le jeu un cran plus loin en les prenant au mot : « C'est donc que vous êtes d'accord pour sortir dans la rue, au restaurant, chez des amis, en conservant cette étiquette ? » Tu verras que les choses se corsent et que la discussion se fera alors plus animée. Les gens diront comment et pourquoi l'étiquetage en général les dérange, et certaines étiquettes en particulier. Cela permettra aux plus fermés comme aux plus ouverts de reconnaître que de porter l'étiquette HOMOSEXUEL, BISEXUEL ou TRANSEXUEL n'est pas facile. Alors qu'il n'en va pas de même pour l'étiquette HÉTÉROSEXUEL.

Attention : il peut arriver que, sous le coup de l'émotion, certaines personnes décident de révéler que l'étiquette qu'on leur a attribuée correspond effectivement à ce qu'ils sont : gays, lesbiennes ou bisexuels, par exemple (comme l'hétérosexualité semble aller de soi, rares sont les personnes qui ressentent le besoin de faire un *coming-out* hétérosexuel). Tu devras alors gérer un *coming-out* non prévu. Mais cela aussi peut être enrichissant pour le groupe, en montrant que, avec ou sans étiquette, la diversité sexuelle est partout présente.

Je plais à qui je veux !

ou

Comment démystifier la séduction

Les êtres humains recherchent leur complément. Seulement, ce qui est complémentaire n'est pas forcément ce qui est contraire… ou semblable. En fait, une quantité de complémentarités sont possibles sur les plans du genre et du sexe, par exemple, tel que l'illustre le tableau qui suit, tiré d'*Éloge de la diversité sexuelle*[1]. L'observation la plus élémentaire montre d'ailleurs la grande variété des types d'attirances et de complémentarités entre les êtres humains, quelles que soient leurs attirances ou leurs pratiques sexuelles. Nous sommes en effet à la fois complémentaire par nos ressemblances ET nos différences, ce qui fait en sorte qu'au royaume de la séduction toutes les permutations sont possibles.

Voir le tableau page suivante

---

1 Michel Dorais, *Éloge de la diversité sexuelle*, Montréal, VLB éditeur, 1999, p. 114.

Tableau des complémentarités possibles quant au sexe et au genre

Partenaires de sexe et de genre différents
Femme féminine / homme masculin
Femme féminine / homme androgyne
Femme androgyne / homme masculin
Femme androgyne / homme féminin
Femme masculine / homme féminin
Femme masculine / homme androgyne

Partenaires de sexe différent et de même genre
Homme masculin / femme masculine
Femme androgyne / homme androgyne
Homme féminin / femme féminine

Partenaires de même sexe et de genre différent
Homme masculin / homme féminin
Homme androgyne / homme masculin
Homme féminin / homme androgyne
Femme féminine / femme masculine
Femme androgyne / femme féminine
Femme masculine / femme androgyne

Partenaires de même sexe et de même genre
Deux hommes masculins
Deux hommes androgynes
Deux hommes féminins
Deux femmes féminines
Deux femmes androgynes
Deux femmes masculines

…Et si l'on ajoutait au sexe et au genre des partenaires leurs pratiques sexuelles préférées, leur style de vie (vivre ensemble ou pas, élever des enfants, etc.), le fait qu'ils sont exclusifs ou pas sur le plan amoureux (ayant par exemple des relations avec d'autres personnes, ensemble ou séparément, de façon occasionnelle ou habituelle), on aurait un tableau beaucoup plus étendu encore. C'est dire la richesse de la diversité humaine et des relations auxquelles elle donne lieu.

« Tant que vous restez entre vous… »
(Sous entendu : tant que vous ne contaminez pas la bonne société, marginaux que vous êtes, on est prêt à vous tolérer)

« D'accord, tant que les imbéciles feront de même. »
(La réponse est un peu directe, mais elle soulage tellement !…)

Sache que la séduction traverse volontiers les identités, les apparences, voire les préférences sexuelles habituelles. Ainsi certains garçons plutôt masculins et hétéros sont quelquefois attirés par des garçons homos plus féminins qu'eux. D'autres sont attirés en secret par une masculinité qu'ils ont appris à idéaliser pour eux-mêmes et, par projection, chez d'autres garçons ; certains de ceux-là, bien qu'érotisant les filles, seront sensibles à l'attrait d'un camarade qu'ils admirent[1]. Une certaine sensualité entre femmes étant socialement permise, il n'est pas exceptionnel non plus qu'une jeune femme qui se considère tout à fait hétérosexuelle réponde à l'attrait exercé par une autre femme.

Limiter sa recherche et son choix de partenaires à ceux ou celles dûment certifiés de la même orientation sexuelle que toi n'est pas une obligation. Comme le montre éloquemment Georges Chaucey dans son livre GAY NEW YORK, par exemple, il y a belle lurette que les hommes attirent certains hommes et les femmes, certaines femmes, quelles que soient leurs identités, orientations ou préférences sexuelles par ailleurs affichées !

Le témoignage de Paul

« On m'a toujours dit que j'étais comme une fille. La plupart du temps, c'était vraiment pas un compliment ! Durant toutes mes années d'école, j'ai été la tapette dont tout le monde, ou presque, se moquait. Vers 16 ans, j'ai commencé à aller dans les bars gays. Mais, là encore, je restais dans mon coin. Je voyais bien que c'était le style macho qui plaisait, les gars sportifs, costauds. Moi, il n'y avait que les vieux (et les vraiment vieux, à l'âge de la retraite ou pas loin) qui m'approchaient. Comme j'habitais à la campagne, faute de mieux j'allais à l'occasion dans un bar

---

1. Dorais Michel, *Tous les hommes le font*, VLB, Montréal, 1991.

hétéro. Au moins, il y avait des filles qui me parlaient. Mais les filles ne m'intéressaient pas vraiment du point de vue sexuel. Quelques garçons hétéros sont aussi venus me parler. Des timides, comme moi, mais qui pouvaient être des gars super. Plus la soirée avance, plus les gars ont envie de parler, surtout quand ils n'ont trouvé aucune fille avec qui le faire. Je ne te dis pas que ça se termine toujours au lit, non, mais c'est arrivé. J'en suis venu à me dire que j'avais plus de chances de faire des rencontres dans un bar hétéro que dans un bar gay ! Mais à la condition d'être prudent, très prudent. Ne pas faire les premiers pas, car il y a plein d'homophobes, mais me montrer agréable, souriant. Dans leur tête, certains garçons se disent qu'entre gars tout ce qui se passe est normal, ne porte pas à conséquence. Les filles, ça, c'est important et même stressant pour eux, mais avoir du plaisir avec un autre gars, c'est presque banal, à condition que ça reste secret. Avec quelques années de recul, je vois que mes amants les plus gentils étaient hétéros, plus ou moins bis. Ils m'ont réconcilié avec les gars masculins, de qui j'ai moins peur, je sais combien ils peuvent être sensibles et doux. Peut-être que, moi aussi, j'ai quelque chose à leur apprendre. Et je ne parle pas du sexe, parce qu'il y en a qui ont drôlement de l'imagination pour des débutants ! Mes amis disent que je perds mon temps à fréquenter des hétéros. Je réponds en blaguant : "Il n'y a pas de gars hétéros, il n'y a que des gars qui ne m'ont pas connu !" Non, mais sérieusement, je pense que les attirances entre hommes, ou entre femmes, sont plus courantes qu'on ne le dit. Il suffit d'ouvrir les yeux… »

expérience pratique

Rechercher la perle rare pour une nuit ou pour la vie

Avant de partir à la recherche de quelqu'un d'autre il faut s'aimer suffisamment soi-même. Si tu crois que tu ne vaux pas grand-chose, comment feras-tu pour convaincre l'autre que tu en vaux la peine? Si tu as appris à t'aimer, à t'accepter, à prendre de la distance par rapport à des personnes qui ont miné ta confiance en toi (y compris lors de flirts ou de rencontres amoureuses se terminant par une déception) tu es plus susceptible que jamais de séduire. Hélas, c'est l'un des effets de l'homophobie intériorisée que d'amener nombre de jeunes de la diversité sexuelle à croire qu'ils valent moins que les autres. Si tu es capable de te regarder dans un miroir et de te dire « Je suis quelqu'un de bien », tu es assurément en position de rencontrer quelqu'un qui te verra également comme quelqu'un de bien. Mais comment faire? Avant toute chose, définis ce que tu ne veux pas ou ne veux plus vivre sur le plan amoureux. Cela te permettra d'éviter d'emblée certaines personnes, certains endroits, certains types de relations. Imagine ensuite comment tu pourras entrer en relation avec une personne qui t'intéresse. Mets alors l'accent sur ce que tu possèdes de meilleur — et pas que sur le plan de l'apparence physique. Par exemple, de quoi pourras-tu discuter? Es-tu capable non seulement de retenir l'intérêt de l'autre mais aussi de l'écouter avec attention, établissant ainsi une réelle communication?

Rappelons que les bars ne sont pas, loin de là, les seuls endroits où des rencontres peuvent se faire. Si les réseaux de personnes que tu fréquentes habituellement te paraissent désespérément déserts, c'est peut-être parce que ceux ou celles qui auraient pu t'intéresser sont jusque-là passés complètement inaperçus à tes yeux. Donne-toi la chance de les découvrir. Et, par la même occasion, de te faire découvrir aussi. Il n'y a pas de bonnes ou de mauvaises occasions pour rencontrer quelqu'un. Il y a toutefois ce qu'on pourrait appeler des mauvaises personnes et des mauvais moments.

De mauvaises personnes, c'est-à-dire des gens qui te feront souffrir (peut-être qu'elles ne sont pas si mauvaises que ça, mais elles ne sont sûrement pas pour toi!) tu vas probablement en rencontrer, mais petit à petit tu vas apprendre à les repérer puis à t'en méfier. Les mauvais moments, tu vas aussi apprendre à les repérer: c'est quand tu te sens au creux d'une vague, prêt à accepter n'importe quoi, n'importe qui, plutôt que de rester seul. Dans ces moments-là, tes amis sont des plus précieux: il y a bien des chances pour qu'ils te consolent mieux que n'importe qui d'autre pourrait le faire.

Si tu arrives à te rappeler qu'il y a ton gentil miroir d'un côté et tes amis de l'autre, te voilà paré pour sortir en toute indépendance, ou encore pour répondre à une annonce dans un journal — il y a aussi des sites d'annonces ou de *chat* sur Internet où l'on peut se rejoindre directement — ou en publier une. Cette façon de rencontrer est de plus en plus populaire parce qu'elle te permet de présélectionner les candidats ou candidates à partir de vos descriptions et vos attentes. Si tu te proposes de répondre à une annonce ou à un message, laisse-toi toucher par les mots directs, les attentes qui correspondent les plus aux tiennes. Si tu préfères placer ta propre annonce (bien que l'un n'exclut pas l'autre), fais de même : va à l'essentiel de ce que tu recherches, et au besoin de ce que tu tiens absolument à éviter. Quand tu fixeras une rencontre, fais-le dans un lieu public fréquenté, comme un resto, un bar, une station de métro. Tu y seras moins vulnérable si jamais tu es tombé sur un mauvais farceur — c'est rare, mais ça peut arriver — et tu auras une facilité de repli s'il s'avère rapidement que vous n'avez aucun atome crochu en commun (cela dit, éclipse-toi gentiment, personne n'aimant se sentir rejeté).

Une dernière remarque doit être faite sur les lieux publics, quand ils servent aussi de terrain de rencontre : d'une part attention à la dangerosité, car certains lieux de drague gay, par exemple, sont bien connus des homophobes qui parfois s'y défoulent avec une rare violence. Pour ceux qui veulent néanmoins les fréquenter, un conseil : n'y allez pas seul, évitez les lieux trop isolés, calculez les risques, surtout si vous entendez partir avec quelqu'un qui vous est inconnu. Pourquoi ne pas lui proposer de faire un petit détour par un resto ou un bar du voisinage, histoire de faire plus ample connaissance (et de savoir vraiment à qui vous avez affaire) ? Si l'autre est vraiment intéressé par toi, cela ne posera pas problème. Sinon, c'est peut-être aussi bien que cela se termine tout de suite.

Enfin n'oublions pas, dans le parfait manuel du LGBT junior il est écrit : « Aimer, c'est aussi permettre à l'autre de s'aimer lui-même ». Et cela doit fonctionner dans les deux sens, que ce soit pour une nuit ou, à plus forte raison, pour la vie.

Organiser une soirée « Brouillage des repères »

Si tu as quelques amis prêts à jouer le jeu, quelles que soient leurs préférences sexuelles, organisez ensemble une soirée costumée sur le thème « Brouillage des repères ». **Androgynes**, filles en garçons, garçons en filles, drag-queens et **drag-kings**, bref tous ceux et celles qui aiment se jouer des stéréotypes de genre s'en donneront à cœur joie. Pas besoin d'attendre le jour de la Fierté LGBT pour s'éclater. Trouvez un endroit qui rassurera tout le monde (pas forcément dans le sous-sol de l'église paroissiale…), à l'abri des curieux ou des agressifs — jaloux sans doute de ne pas être invités. On dit que les gays et lesbiennes aiment se travestir ? Les non-gays les devancent, et de loin, à cet égard, sauf qu'ils le font en général plus discrètement. Mais là, tout le monde pourra s'amuser ensemble. En organisant une soirée de brouillage des repères, vous rendrez service à vos amis qui n'osent pas et qui auraient pour une fois l'occasion de se maquiller, de se travestir, de se déguiser. C'est amusant et, en plus, c'est thérapeutique. Découvrir que chacun et chacune a à la fois du masculin et du féminin, et peut le manifester à sa guise, voilà un bon message à faire passer et à retenir. Lors d'une telle soirée, assurez-vous toutefois que les règles du jeu sont respectées : on accepte les autres tels qu'ils sont et on reste évidemment le plus libre du monde de répondre gentiment oui ou non aux invitations à danser ou à prolonger la soirée qui se présenteront. L'ouverture d'esprit est de mise, la bonne humeur aussi !

C'est mon style de vie!

ou

Mieux vaut inventer ses relations que les subir

Les styles de vie liés à un non-conformisme de genre ou d'orientation sexuelle sont des occasions d'expérimenter de nouvelles façons d'être célibataires, en couple, en famille, en amitié, etc. L'absence de modèles — ou son extrême diversité — peut être un avantage, quand cela signifie que l'on se donne la permission d'être créatif, inventif, novateur dans son quotidien, en particulier dans ses relations avec les autres : amis, amants, collègues, connaissances, etc.

On entend souvent dire qu'il existe UN style de vie lesbien, gay, bi, trans...

C'est faux. Il existe une infinité de styles de vie, actuels ou potentiels. À toi de créer le tien! Hélas, tout milieu minoritaire qui combat un ostracisme fabrique volontiers lui-même de nouvelles normes qu'il faudra également combattre par la suite (ainsi, les « folles » sont souvent aussi peu appréciées dans le « milieu gay » que les « butchs » le sont dans le « milieu lesbien »). Il importe donc de demeurer solidaire de celles et ceux qui sont dissonants ou dérangeants au sein de la communauté LGBT : ceux qu'on dit « handicapés » (mais par rapport à qui et à quoi ?), ceux d'origine socioculturelle ou de religion différente, ceux qui ont une caractéristique physique, vestimentaire ou comportementale (voire langagière) « pas comme les autres », les séropositifs (ou les séronégatifs, selon le cas), ceux qui n'ont pas de relation sexuelle ou de partenaires stables, pour ne donner que quelques cas de figure, sont-ils toujours les bienvenus ?

 Ton style de vie contribuera à te rendre la vie meilleure ou pire, en conformité ou non avec tes aspirations les plus profondes. Tant qu'à être différent, assume-le dans ce que tu as de plus intime : ta façon même de vivre, de concevoir ton existence, d'être en interaction avec les autres. En revanche, ne cherche pas à imposer ce qui est bon pour toi. Dans le débat sur le mariage entre conjoints de même sexe, par exemple, on a pu lire des entrevues de lesbiennes et de gays qui dénonçaient ceux qui croient encore au mariage, civil ou religieux. Que la possibilité de se marier existe aussi pour les partenaires de même sexe qui souhaitent s'unir n'obligera jamais personne à se marier. Pourquoi ceux qui sont contre de tels mariages souhaitent-ils les interdire à tous : pour la seule raison que cela ne les intéresse pas personnellement ? Nous ne connaissons pas de couples ou de personnes hétérosexuelles qui fassent campagne contre le mariage entre hommes et femmes pour la simple raison qu'ils ne veulent pas se marier… Vivre et laisser vivre, c'est pourtant si simple. Les représentants de la diversité sexuelle n'ont-ils pas assez payé pour le comprendre ?

Le témoignage de Théo

« Je ne suis pas homosexuel, même si je passe parfois pour l'être et j'ai des choses à dire à ceux qui le sont. Parce que moi, je suis différent, et c'est volontaire. Quand on me croise dans la rue, j'ai envie qu'on me voit comme à part, pas comme tout le monde… J'ai besoin d'être moi et d'avoir ma personnalité. Et je trouve ça intéressant de partager ça avec des jeunes qui se trouvent différents et qui en souffrent. Suivre les autres, faire comme les autres, j'en souffrirais plus que d'être différent. Prends ma coiffure, avec toutes ces couleurs, on la repère de loin, non ? Tout ce que je fais c'est pour qu'on me voie comme unique… Ce qui m'amuse le plus, c'est que les gens pensent m'insulter avec leurs réactions, mais c'est le contraire et, en fait, j'aime bien qu'on me reproche des trucs, ça me fait rire. Dans le style : "T'as vu comment il s'habille ? Eh, tu peux pas t'habiller comme tout le monde, t'as l'air de quoi ?" Suivre les autres, c'est ne pas avoir de personnalité, selon moi.

Mes parents veulent que je sois comme les autres, car ils sont commerçants et ils ont peur que je fasse fuir la clientèle quand je suis là. En fait, les gens ne s'aiment pas eux-mêmes pour haïr les autres à partir des apparences! Moi, je m'aime. Ouais, mais quand on dit qu'on s'aime bien, ça fait prétentieux. Quand on se déteste, ça plaît à tout le monde… On préfère prendre les gens en pitié que leur faire face. »

Monter une exposition
« Chérir nos singularités »
(inspirée d'une activité déjà tenue au Centre Municipal de Santé Louise Michel, 15 rue Carnot 93230 Romainville, France)

Là encore, il s'agit d'une initiative qui nécessite un travail préalable et qui va donc mobiliser tes capacités à rencontrer et à convaincre des gens. La première personne que tu devras mobiliser (à moins que tu n'aies toi-même toutes les compétences requises) c'est un ou, mieux, des photographes intéressés par le projet et suffisamment motivés pour y consacrer du temps, de l'énergie et de la pellicule! La seconde étape consiste à rechercher des candidats : leur profil ? Il n'y en a pas ! Ça peut être tous les membres de ton association, les habitants d'un quartier ou les jeunes d'un lieu de vie ou même un groupe arbitraire, constitué à partir d'un thème que tu auras choisi (par exemple, les homo-bi-trans volontairement visibles de ma ville). À chacun d'entre eux, tu poseras la même question : quelle est ta tenue préférée ? celle qui parle le plus de toi ? La coiffure, le maquillage, les tatouages ou autres piercings font aussi partie de ce tout. Si tu as choisi spécifiquement le thème de la différence de sexe et de genre, n'hésite pas à choisir des personnes qui vont illustrer toute la gamme possible des combinaisons sexe / genre / sexualité. Une fois les photos prises, de préférence dans un environnement sympa, et une fois que tu as obtenu l'accord de ceux qui figurent sur les photos retenues, tu demanderas à chacun d'y ajouter une petite phrase qui complète le tout. Ensuite, et en fonction de ton budget initial, il te reste à réaliser un « book » intégrant photos et textes, pour aller à la rencontre de partenaires intéressés par une telle exposition (idéalement, tu auras amorcé certains contacts avant de lancer le projet). L'objectif est de trouver une salle d'exposition suffisamment fréquentée, un lieu de passage ou de visite (ce ne sont pas les édifices publics qui manquent !). Il faudra bien sûr obtenir un financement afin de tirer chaque photo en grand format de qualité. Un tel projet peut très bien s'inscrire dans les activités d'une journée thématique sur la diversité humaine, les luttes contre les discriminations et les préjugés, etc. Des œuvres artistiques autres que des photos peuvent aussi servir lors d'une telle manifestation. L'important, c'est que l'exposition permette une visibilité accrue, voire une célébration de la diversité humaine et sexuelle.

Extrait d'un dialogue sur la diversité humaine
entre personnes sourdes et personnes de petite taille

SYLVIE (sourde). — J'aimerais aller voir un psy ou une aide sociale, enfin quelqu'un qui travaillerait avec les homos, et qui pense que homo et hétéro, c'est pareil. Moi, je voudrais un psy qui saurait parler avec quelqu'un comme moi d'égal à égal. Il me faudrait de préférence un sourd, mais souvent les sourds homos sont fragiles… J'aimerais bien trouver une psychologue lesbienne.

HENRI (sourd). — Un psy, c'est une personne qui est très spécialisée ou qui connaît un peu tout sur les uns et les autres… Donc il faudrait à la fois un psy pour les sourds, pour les homos, spécialisé dans les relations amoureuses en plus…

LUC (sourd). — Une personne sourde homo a souvent des problèmes psy, elle se lance dans une relation et ça casse, on n'a pas la même vie que les autres…

SIMON (sourd). — À mon avis, c'est une question de recul. Par exemple, si c'est quelqu'un qui ne connaît rien au monde des sourds, eh bien, du coup, c'est moi qui vais lui donner un cours, au psy ! C'est pour ça qu'il faudrait un psy qui ait une compétence en Langue des signes… Sinon, il ne pourra pas saisir les subtilités de la langue. Même chose pour quelqu'un qui ne serait pas homo… S'il ne connaît que les bases de ce vécu, ça n'ira pas.

LUC. — Le psy doit donc être quelqu'un qui a la même différence ? Non, ça devient compliqué…

HENRI. — Il a raison, il faut que le psy qui travaille avec des personnes sourdes et gay comprenne les deux réalités. S'il est entendant, ça passe pas trop ; s'il est sourd, ça passe mieux, forcément, ou alors si c'est quelqu'un qui a grandi dans la surdité, voilà, quelqu'un qui a une expérience dans le domaine…

SIMON. — Non, on s'en fout qu'il soit sourd; on s'en fiche, de sa couleur ou de sa différence… L'important, c'est qu'il saisisse la différence de l'autre, et qu'on puisse communiquer à l'aise, donc, dans sa propre langue…

VICTOR (de petite taille). — Nous, dans l'association des personnes de petite taille, on a une psy, mais ce n'est pas ça le plus important. On a aussi les anciens de l'association qui deviennent parrains ou marraines des nouveaux adhérents. C'est un plus.

SIMON. — Je n'ai pas bien compris, c'est quoi un parrain?

VICTOR. — Un parrain, chez nous, connaît les problèmes liés à sa petite taille, il est plus à même peut-être d'expliquer certaines choses. Quand on est de petite taille, il y a des étapes dans la vie qui sont plus difficiles. Il y a trois âges critiques: 4-5 ans, quand l'enfant s'aperçoit qu'il va être de petite taille toute sa vie; ensuite, vers 14-15 ans, car c'est la puberté et donc c'est pas évident, il faut que la personne ait d'autres atouts que son physique! Le sens de l'humour et des connaissances, par exemple… Enfin, vers 20 ans, quand les copains et copines sont en couple, ils se retrouvent souvent à l'écart. Donc le parrain est là pour expliquer ces étapes, et aussi les problèmes de santé occasionnés par la petite taille, les problèmes de poids par exemple…

SIMON. — Souvent, quand on rencontre quelqu'un de différent, on a un mouvement de recul… C'est vrai que la surdité, ça se voit pas, mais quand on parle, ça se voit, et les gens ont un mouvement de recul… Souvent, il y a des personnes qui croient que pour dépasser la différence il faut essayer de se parler, mais ce n'est pas le cas pour les sourds !

SYLVIE. — Moi, je ne vais pas aux associations de gays et lesbiennes avec handicap, car c'est des entendants et, moi, je ne comprends rien ! (rires)

On va pas s'arrêter en si bon chemin

ou *Brève synthèse de ce qui précède*

On aura compris, tout au long de cet ouvrage, à quel point il est essentiel de minimiser tes facteurs de vulnérabilité tout en renforçant tes facteurs de protection devant l'adversité que constituent la méconnaissance de la diversité sexuelle et les préjugés, les intolérances, parfois les violences qu'elle rencontre. Autrement dit, ce qui rend plus fort aura toujours avantage à être développé, alors que ce qui affaiblit moralement ou socialement aura avantage à être minimisé. Récapitulons quelques-uns de ces éléments :

Voir tableau en double page suivante

Le témoignage de Julie

« J'ai envie d'avancer, j'ai besoin de parler et je ne trouve pas beaucoup d'écoute autour de moi. Mais je persiste. Le point sensible, c'était de dire à ma famille que j'étais attirée par les filles. C'est fait, mais après on se rend compte que c'est toute la façon

Facteurs de vulnérabilité

À la remorque de ce que pensent les autres ➤

Honte ou haine de soi ➤

Isolement ➤

Peur des autres ➤

Silence ➤

Crainte de se révéler à autrui ➤

Acceptation du rejet et de la "tolérance" ➤

Objet de ridicule ➤

Ignorance de la diversité sexuelle ➤

Respect des points de vue les plus intolérants ➤
(sous prétexte que « toutes les idées se valent »)

Impossibilité de se défendre ➤

Posture de victime ➤

Acceptation passive des étiquettes ➤

Soumission aux pressions des autres ➤

de voir les autres qui devient différente quand ces personnes te voient comme différente! J'aimerais qu'on m'accepte en tant qu'individu et, plus tard, en tant que couple. C'est vrai qu'au début c'était encore plus dur, car mes parents sont pratiquants et c'est tabou, c'est le mal absolu, mais maman a fait beaucoup de progrès. Mes parents, je les ai laissé faire leur chemin. Ils étaient super gênés, même de dire juste le mot « homosexuel »! De temps à autre, ils passent encore des remarques sur les homos du genre « C'est tous des dégénérés! », alors que ça fait huit ans que je leur ai dit… Mais ils insistent!

Facteurs de protection

→ Esprit critique face aux préjugés
→ Fierté de soi et de ses réalisations
→ Recherche de soutien et de solidarité
→ Affirmation de soi
→ Prise de parole
→ Risque assumé d'être visible
→ Exigence du respect des droits et libertés et d'une pleine égalité
→ Sujet humoristique actif
→ Partage et développement de connaissances
→ Respect sans compromis de soi et de ses pairs

→ Habiletés d'autodéfense
→ Posture d'acteur social
→ Refus des étiquettes
→ Choix créatif de son style de vie

Ma mère dit vouloir « protéger » mon frère (le protéger de quoi, je me le demande encore? De la réalité?). Un jour, j'ai un peu pété les plombs et elle m'a dit: « De mes enfants, c'est toi que je comprends le moins. » Au moins, elle en est consciente; ma mère est toujours gênée quand on parle de sexualité… Mais elle a évolué quand même, elle voit bien que je ne suis pas un monstre. Mon père, pas du tout! Il croit tout connaître! De toute façon, ç'a toujours été très conflictuel avec lui depuis que je suis petite… Si je n'arrive pas à le lui faire accepter, je serai bannie des réunions familiales tôt ou tard. Je pourrais évidemment mettre mon père de côté, mais pas si ça me bloque tout le reste côté familial. Il m'a demandé si j'avais « osé » le dire à mes grands-parents ! En me parlant comme ça, il cherche à me rabaisser, à m'humilier ! Mais je me suis suffisamment blindée : les agressions de mon père me touchent toujours, mais elles ne m'ébranlent plus. Par exemple, il était dans la cuisine avec toutes ses petites femmes (c'est-à-dire sa femme et ses autres filles) puis il a enlevé sa chemise, et j'ai dû avoir l'air étonnée, car ce n'est pas une habitude familiale, et il m'a demandé si j'étais jalouse ! En fait il a montré ses pectoraux parce que je ne suis pas capable d'en faire autant ! C'était lié à mon homosexualité, du genre : tu prétends être quelque chose que tu ne peux pas être… Il pense sans doute que les lesbiennes veulent être des hommes.

Hélas, il y a aussi des filles comme moi qui pensent comme lui. Combien de fois je me suis fait dire, même par des lesbiennes, que j'étais trop féminine pour être comme ça ? Il y a des stéréotypes dans lesquels on tombe facilement quand on a du mal avec ce qu'on ressent, quand on n'a pas de modèles positifs dans le quotidien. Les gays et lesbiennes ont trop subi les préjugés pour ne pas tomber dedans. On a encore bien du chemin à faire pour accepter toutes nos différences. »

Faire de son histoire une création artistique
(inspirée de « Laisse ton empreinte »,
187, bd Victor-Hugo, à Lille, France)

Tout d'abord tu dois trouver un ami, ou quelqu'un dont tu as envie de te rapprocher, qui accepterait d'échanger avec toi de la façon suivante : Tu devras identifier avec lui ou elle un domaine de compétence artistique (écriture, musique, dessin, sculpture, théâtre, bande dessinée, etc.) dans lequel l'un ou l'autre a plaisir à s'exprimer. Tu vas te retrouver à plusieurs reprises avec ton ami ; prévois donc du temps dans un cadre agréable, où vous ne risquez pas d'être dérangés. L'un de vous deux va en premier se raconter à l'autre en toute liberté, un peu comme si vous cherchiez à vous communiquer mutuellement l'histoire de vos vies. N'oubliez pas de mentionner celle de vos parents, voire de vos ancêtres, car nous sommes tous marqués par nos origines, même si on ne les connaît pas très bien. L'autre, qui écoute, écrit tout ce qu'il est possible de noter, car il va devoir s'en inspirer par la suite. Il intervient aussi, de temps en temps, pour vérifier s'il a bien compris, pour faire préciser quelque chose, mais surtout il se retient de juger et d'interpréter. L'objectif, à cette étape-là, est de bien comprendre la vie de l'autre et de saisir ce qu'on ressent en l'évoquant. N'hésite pas à raconter des anecdotes, bref, tout ce qui te vient, et qui, même si cela a été dur, t'a permis de te construire tel que tu es aujourd'hui. Ensuite, après une petite pause pour s'aérer la tête, changez de rôle ; qui écoutait devient maintenant le raconteur ou la raconteuse de son récit de vie. Vous vous fixez rendez-vous quelques semaines après. Vous aurez alors réécrit et illustré, selon vos talents particuliers, l'histoire de l'autre entretemps, en commençant par « C'est l'histoire de... », condensée, imagée, illustrée, scénarisée, mise en musique, etc.

Écoutez vos réactions mutuelles à cet exercice. Vous aurez probablement besoin de retravailler vos récits, et la façon de les rendre, donc de vous revoir, jusqu'à ce que chacun soit satisfait du récit de son histoire. En fonction du média artistique que vous avez privilégié l'un et l'autre, vous pourrez par exemple écrire un poème, une chanson — parole et musique — ou encore une bande dessinée. La dernière étape est donc la mise en forme artistique finale, afin que cela vous plaise à tous les deux (quitte à se faire aider par un artiste de votre connaissance, par exemple). Puis ce sera à toi de te servir du produit fini auprès de tes amis, de ta famille, de ton école, bref avec toute personne intéressée à te découvrir sous un nouveau jour. Faire mieux connaître nos différences — et nos ressemblances — contribue à les faire apprécier.

Une variante à cette activité est susceptible de la rendre encore plus utile pour toi. Tout au long de ton histoire de vie, essaie de mettre l'accent sur ce qui a fait de toi quelqu'un de plus fort au fil du temps. Des expériences ou des rencontres déterminantes, des leçons tirées des aléas de ton existence, des mots d'encouragement que tu as appris à répéter dans ta tête, des réussites qui t'ont donné encore plus confiance en toi, des moments de solidarité avec les autres, bref des choses qui t'ont permis de grandir et de te faire une place. En apprenant à connaître et reconnaître tes forces, en particulier celles développées dans l'adversité, tu auras tendance à les utiliser et à les développer encore davantage dans l'avenir.

À vous de jouer!

Ça y est, notre petit manuel tire à sa fin. En le lisant, il t'est peut-être venu à l'esprit des choses qu'il serait intéressant de mettre en pratique et de faire connaître. Sais-tu ce que l'on a dit des premiers alpinistes qui sont parvenus à gravir l'Everest? « C'était impossible, mais ils ont réussi, car ils l'ignoraient. » Va de l'avant! Demande-toi par exemple ce qui fait le plus défaut dans ton environnement, en particulier en ce qui concerne le mieux-être des personnes LGBT. Que pourrais-tu faire, personnellement ou, mieux, avec d'autres, pour améliorer la situation? Même les grandes révolutions commencent par des initiatives personnelles. On ne va jamais si loin qu'au bout de soi.

Un dernier mot: tu trouveras ici nos courriels car on aime bien avoir des nouvelles des initiatives gagnantes que prennent les jeunes de la diversité sexuelle. Petite sœur, petit frère, c'est bon de te savoir vivant!

<michel.dorais@svs.ulaval.ca>
<verdiereric@wanadoo.fr>

Glossaire

Acceptation : L'accepter, c'est reconnaître pleinement l'autre comme son égal, cela dans ses différences et ses ressemblances.

Ambisexuels : Personnes à la sexualité ambivalente (que cela soit provisoire ou permanent), c'est-à-dire incertaines de préférer des partenaires de même sexe ou de sexe différent (tandis que les personnes bisexuelles, elles, savent très bien qu'elles aiment les deux).

Androgynes : Personnes qui font montre, intentionnellement ou pas, de caractéristiques féminines et masculines, cela simultanément.

Appropriation du stigmate : Acte par lequel les personnes ostracisées s'emparent du stigmate qui pèse sur elles afin de transformer la honte en fierté. Les défilés de Fierté LGBT en sont un bon exemple sur le plan communautaire.

Biphobie : Rejet des personnes bisexuelles ou considérées comme telles et de ce qui leur est associé.

Bisexuels : Personnes qui possèdent un double érotisme, hétérosexuel et homosexuel. Elles peuvent néanmoins avoir une préférence pour un sexe ou pour l'autre.

Butch : Femme homosexuelle affirmant publiquement sa masculinité.

Butchophobie: « Butch s'abstenir » dans les annonces lesbiennes est le pendant de « folle s'abstenir » pour les gays ; il s'agit là d'une forme d'homophobie intériorisées.

Caméléon: Garçon ou fille qui fait l'impossible pour passer pour hétérosexuel, afin de ne pas subir de rejet.

Coming-out: On dit, de plus en plus, **Sortie** en français. Consiste à révéler son orientation homosexuelle, bisexuelle ou transsexuelle à ses proches, bref de rendre plus ou moins publique cette caractéristique auparavant cachée ou inconnue de soi.

Communautarisme: Renfermement sur elles-mêmes d'un ensemble de personnes à partir d'une appartenance commune. Ce terme est souvent utilisé de manière abusive pour dévaloriser ou discréditer les communautés LGBT, dont on feint de ne pas comprendre le rôle rassembleur et auto-protecteur.

Contamination du stigmate: Désigne l'homophobie et l'ostracisme qui s'appliquent également à toute personne proche des lesbiennes, gays, bisexuels ou transsexuels, ou se portant à la défense de leurs droits et libertés.

Contre-nature: Ce concept est piégé. Il faudrait dire plus justement « contre-culture » et même « contre-religion intégriste », puisque la nature s'accommode fort bien de la diversité sexuelle, présente chez la plupart des espèces.

Coparentalité: Équité parentale dans les droits et les devoirs, mais aussi dans l'éducation au quotidien, quel que soit le sexe des parents. Le concept de coparentalité est antisexiste (les pères et les mères sont jugés sur un pied d'égalité quant aux besoins d'un enfant) mais également antihomophobe (l'orientation sexuelle n'a rien à voir avec les compétences parentales). Il consacre d'autre part la séparation entre la conjugalité et la parentalité.

Critique homophobe en toi: Petit bonhomme ou petite bonne femme niché à l'intérieur de toi et qui ne se gêne pas pour te rappeler son existence au moindre échec, notamment sur le plan amoureux. Il est convaincu que rien ne peut sortir de bon de ton homo-bi-trans-sexualité.

Diversité: Parler de diversité humaine — ou sexuelle — souligne l'infinie richesse de nos singularités et donc de nos complémentarités. Dès lors, cela n'a plus de sens de parler des « normaux », des « déviants » et même des « minorités ». Contrairement au concept de différence (on est toujours différent par rapport à quelque chose), le concept de diversité ne renvoie à aucune norme.

Drag-kings: Femmes qui prennent plaisir à se travestir pour mettre en évidence et ainsi se moquer (gentiment) des stéréotypes liés au genre et au sexe masculins.

Drag-queens: Hommes qui prennent plaisir à se travestir pour mettre en évidence et ainsi se moquer (gentiment) des stéréotypes liés au genre et au sexe féminins.

Famille choisie: Ensemble de personnes qui ne sont pas forcément apparentées par le sang ou les liens matrimoniaux, mais qui ont néanmoins décidé de se fréquenter assidûment, de se soutenir et de s'entraider.

Folle: Homme homosexuel affirmant publiquement sa féminité, souvent appelé péjorativement « efféminé » (dira-t-on d'une femme qu'elle est émasculinée ?)

Follophobie: expression d'une forme d'homophobie intériorisée (puisque venant d'hommes homosexuels eux-mêmes) à l'endroit d'hommes assumant publiquement leur féminité.

Gayphobie: Rejet des hommes homosexuels ou considérés comme tels, et de ce qui leur est associé.

Garçon parfait / fille parfaite: Garçon / fille qui cherche à tout prix à faire oublier son homosexualité (ou sa bisexualité) en se montrant plus-que-parfait aux yeux de ses proches.

Groupe de parole ou de soutien: Ce type de groupe est axé sur le soutien mutuel. Dans un groupe de personnes vivant une même exclusion sociale, il s'agit en quelque sorte de prendre soin les uns des autres à travers un partage d'expériences, voire de solutions aux problèmes rencontrés par les membres du groupe.

Groupe de socialisation: Ce type de groupe a pour objectif de rapprocher des membres d'une communauté éparse, cela à travers des activités culturelles ou récréatives qui répondent à certains de leurs intérêts communs.

Hermaphrodites: Personnes nées avec les deux sexes biologiques (masculin et féminin).

Hétéroconservatisme: Idéologie voulant que l'hétérosexualité et les rôles masculins et féminins traditionnels doivent impérativement être imposés à tous. À noter que le fait de prôner une telle idéologie n'a rien à voir avec l'orientation sexuelle d'une personne: il y a des hétéroconservateurs de toutes orientations sexuelles.

Hétérophobie: Terme inventé afin de trouver un pendant à celui d'homophobie, il désignerait la peur ou la haine de l'hétérosexualité; utilisé de plus en plus fréquemment pour ridiculiser les revendications égalitaristes des personnes homosexuelles.

Hétérosexisme: Attitude qui consiste à présumer que toute personne est a priori hétérosexuelle et à agir en conséquence. C'est ainsi qu'au lieu de dire à une fille : « As-tu quelqu'un dans ton cœur ? », on va systématiquement lui demander si elle a un petit copain (et inversement, pour un garçon, s'il a une petite amie).

Homophobie : Rejet des personnes homosexuelles ou considérées comme telles et de ce qui leur est associé. La Gayphobie, la lesbophobie, la biphobie et la transphobie, par écho, en sont des formes plus spécifiques.

Homophobie intériorisée : Forme de haine de soi-même inspirée par l'homophobie ambiante de la société. Elle se focalise souvent sur certains aspects de sa propre homosexualité (par exemple, ses manières, son corps, sa sexualité). Poussée à l'extrême, elle peut conduire à l'automutilation, voire au suicide.

Homophobie active : Rejet affirmé de l'homosexualité et de ce qui lui est associé. Ses manifestations vont du dédain ostentatoire ou de l'injure au passage à l'acte violent, comme l'agression physique, le viol et le meurtre.

Homophobie passive : Forme sans doute la plus importante d'homophobie, car c'est, sans qu'on le voit, celle qui est aussi le plus sournoisement impliquée dans la dévalorisation des gays et lesbiennes, y compris par eux-mêmes ; cela consiste à dire ou à faire comme si l'homosexualité n'existait pas ou comme si c'était une erreur de parcours ou une phase transitoire — tout va bientôt rentrer dans l'ordre.

Homophobie de détournement : Attitude par laquelle l'homosexualité est en apparence acceptée alors qu'en réalité elle n'est que tolérée (par exemple, on va dire que les homosexuels sont des gens charmants, mais qu'il n'est pas question qu'ils se marient entre eux, qu'ils élèvent des enfants, qu'ils aient les mêmes droits que tout le monde).

Humour gay-camp : Jeu ironique sur les stéréotypes liés au genre en les exagérant de façon comique, en les caricaturant. Les stéréotypes apparaissent dès lors dans tout leur ridicule et toute leur superficialité.

Injure (homophobe) : Acte par lequel on insulte, diminue ou ridiculise une personne homosexuelle, bisexuelle ou considérée comme telle, afin de lui faire sentir qu'on la considère comme inférieure du seul fait de son orientation sexuelle (et qu'elle devrait penser de même).

Intégrisme identitaire : Idéologie qui consiste à voir le monde comme toujours et forcément divisé en deux : les hommes ou les femmes, les hétéros ou les homos, le masculin ou le féminin. L'intégrisme identitaire associe chaque item deux à deux d'une seule façon : un homme est forcément masculin et hétéro, une femme forcément féminine et… potentiellement homo !

Lesbophobie : Rejet des femmes homosexuelles ou considérées comme telles et de ce qui leur est associé.

LGBT : Abréviation commode pour désigner simultanément les personnes lesbiennes, gays, bisexuelles, transgenres, travesties et transsexuelles.

Logique binaire : Mode de pensée soutenant l'**Intégrisme identitaire** (voir ce terme).

Mariage entre conjoints de même sexe : Termes exacts pour désigner ce que l'on appelle abusivement le « mariage gay » — depuis quand le mariage a-t-il une orientation sexuelle ? Cette expression rappelle que les gays et lesbiennes ne demandent rien de spécial ou de particulier pour leur couple, mais tout simplement les mêmes droits que tout autre couple.

Marche des Fiertés Lesbienne-Gay-Bi-Trans: Événement annuel montrant et célébrant la diversité sexuelle — parfois ses revendications —, autour de la date anniversaire des émeutes de Stonewall (voir ce terme).

Non-conformisme de genre: Façon d'être homme ou femme en rupture avec les stéréotypes habituels concernant le genre. Par exemple, un garçon qui montre du féminin et une jeune femme qui montre du masculin, que cela soit sciemment ou pas.

Normopathie: Attitude qui conduit un être humain à se soumettre à une autorité abusive (« Fais ce que je te dis pour la simple raison que c'est normal et que toi, tu ne sais pas ce qui est normal »), et à exiger des autres la même soumission; les souffre-douleur et les boucs émissaires en sont les principales victimes — on les ostracise parce qu'ils sont jugés « pas comme nous », « pas normaux ».

Pédé / gouine de service: Bouc émissaire désigné par les homophobes, surtout en milieu scolaire, car prétendument visible comme homosexuel et intériorisant jusqu'à un certain point l'homophobie dont il est victime. Avec le **garçon parfait** / la **fille parfaite**, refusant à la fois son homosexualité et l'homophobie ambiante, mais irréprochable en tout, le **caméléon**, refusant son homosexualité mais faisant sienne l'homophobie parfois jusqu'à l'extrême, et le **rebelle**, seul à affirmer son homosexualité tout en combattant l'homophobie, c'est l'un des quatre profils identifiés par Michel Dorais dans son étude sur les tentatives de suicide chez les ados gays, *Mort ou fif: la face cachée du suicide chez les garçons.*

Proactif: S'oppose à passif ou à réactif; est proactive toute personne qui prend l'initiative de et dans ses choix de vie.

Psychiatres, psychanalystes, psychologues ou psychothérapeutes: Allez, un peu de ménage dans tous ces « psys » ne nous fera pas de mal! Les psychiatres sont médecins et siègent dans toutes les instances décisionnaires (on pourrait les comparer aux « nobles » dans un régime royaliste); les psychanalystes ne s'autorisent que d'eux-mêmes, en référence à LA théorie (le « clergé »); les psychologues ont une formation universitaire, s'inspirant de diverses théories et pratiques, bataillant pour conférer un pouvoir à leur statut (les « bourgeois »); les psychothérapeutes enfin ont, pour ceux qui sont honnêtes, une formation en école privée ou publique, mais n'ont, en France comme au Québec, aucune appartenance à un ordre professionnel (c'est le « tiers-état » des psy!).

Queer: Toute personne qui remet en cause les catégories usuelles de sexe, de genre ou d'orientation sexuelle, de façon à affirmer son refus des normes et des étiquettes.

Rebelle: Garçon/fille homosexuel qui refuse l'homophobie.

Resignification: Acte qui consiste à prendre un mot ou une expression prétendument négative pour en faire quelque chose de positif, ou vice versa; par exemple, « L'hétérosexualité, ce douloureux problème » ou « Comment avouer à vos parents que vous aimez une personne de l'autre sexe ».

Rire avec: Partager le plaisir de l'humour et de l'autodérision avec l'autre, pas à ses dépens.

Rire de: Forme d'humour qui s'exerce aux dépens de la vulnérabilité de l'autre ; associée à la moquerie, voire à l'**Injure** (voir ce terme).

Séparatisme (gay ou lesbien) : Voir **Communautarisme**.

Sexisme : Avec le racisme et l'homophobie, le sexisme est la troisième forme la plus courante du rejet de la diversité humaine et sexuelle. Il s'applique aux femmes, mais aussi aux hommes qui montrent du féminin (dès lors associés aux femmes), qu'il considère tous deux comme des êtres inférieurs.

Sœurs de la Perpétuelle Indulgence : Groupe de prévention du sida constitué de militants prenant, non sans parodie, les costumes et les allures de religieuses à la façon drag-queens, cela afin de dénoncer l'inaction de l'Église catholique face à l'épidémie, son discours rétrograde en ce qui concerne l'usage de la capote et l'homosexualité et, aussi, il faut le dire, pour donner à la prévention un aspect ludique, rigolo.

Stéréotypes binaires : Images qui dressent un portrait archaïque et caricatural de l'espèce humaine : un homme est forcément masculin et hétérosexuel, une femme est nécessairement féminine et hétérosexuelle.

Stonewall : Émeute survenue en juin 1969 à l'intérieur et aux alentours d'un bar gay new-yorkais à la suite d'une descente policière abusive ; cette manifestation, qui dura plusieurs jours, marque le début symbolique de la militance homosexuelle moderne.

Suicide complété : Suicide qui a hélas abouti, et donc que la personne est morte ; formule inventée afin d'éviter le terme « réussi » car il n'y a rien de réjouissant à savoir que quelqu'un s'est donné la mort — ce n'est donc pas une réussite.

Théâtralisation : Attitude qui consiste à mettre en scène les apparences (normales) pour les critiquer.

Tolérance : Pseudo-acceptation, car il restera toujours un tolérant et un toléré. La tolérance est toujours une faveur accordée, ou retirée.

Transgenres, transgenrées, transsexuels : Personne qui par modification de son apparence corporelle, que cela soit physiquement — par chirurgie et prise d'hormones — ou cosmétiquement, de façon permanente ou pas, passe d'un sexe à un autre. Par exemple, un homme qui devient femme, une femme qui devient homme. (Voir aussi Hermaphrodite.)

Transphobie : Rejet des personnes transgenres ou trans-sexuelles, ou de ce qui leur est apparenté, ainsi que des personnes qui leur sont proches.

Visible : Se dit d'une personne homosexuelle qui affirme et assume son homosexualité au grand jour, voire qui témoigne de l'homophobie à laquelle elle est confrontée.

Bibliographie

ALBERONI F., *Le choc amoureux*, Pocket, 1979.

ANDRÉ Christophe, et LELORD François, *L'estime de soi : s'aimer pour mieux vivre avec les autres*, Paris, Odile Jacob, 1998.

BARD Christine, *Les garçonnes*, Flammarion, Paris, 1998.

BONNET Marie-Jo, *Les relations amoureuses entre femmes*, Odile Jacob, Paris, 1995.

BONNET Marie-Jo, *Qu'est-ce qu'une femme désire quand elle désire une femme*, Odile Jacob, Paris, 2004

BORRILLO Daniel, *L'homophobie*, Paris, PUF, coll. « Que sais-je ? », n° 3563, 2000.

BORRILLO Daniel, et LASCOUMES Pierre, *L'homophobie, comment la définir, comment la combattre*, Paris, Pro-Choix, 2002.

BOURASSA Kévin, et VARNELL Joe, *Gays, gays, marions-nous !* Stanké, Montréal, 2003.

CALIFA Pat, *Le mouvement transgenre*, Paris, EPEL, 2003.

CASTAÑEDA Marina, *Comprendre l'homosexualité*, Paris, Robert Laffont, 1999.

CHAUNCEY George, *Gay New York*, tome 1 : *1849-1940*, Paris, Fayard, 2003.

CLAUZARD Philippe, *Conversations sur l'homophobie*, Paris, L'Harmattan, 2002.

CYRULNIK Boris, *Un merveilleux malheur*, Paris, Odile Jacob, 1999.

DELALANDE Julie, *La récré expliquée aux parents*, Ed. Louis Audibert, 2003.

DEMCZUK Irène, *Des droits à reconnaître — Les lesbiennes face à la discrimination*, Montréal, Éditions du remue-ménage, 1998.

DORAIS Michel, *Éloge de la diversité sexuelle*, Montréal, VLB éditeur, 1999.

DORAIS Michel, avec la collaboration de Lajeunesse Simon, *Mort ou fif — La face cachée du suicide chez les garçons*, Montréal, VLB éditeur, 2000 et 2001.

DORAIS Michel, *Tous les hommes le font*, VLB, Montréal, 1991.

ÉRIBON Didier, *Papiers d'identité*, Paris, Fayard, 2000.

ÉRIBON Didier, *Réflexion sur la question gay*, Paris, Fayard, 1999.

ÉRIBON Didier (dir.), *Dictionnaire des cultures gays et lesbiennes*, Paris, Larousse, 2003.

ÉRIBON Didier, *Une morale du minoritaire*, Paris, Fayard, 2001.

FERNANDEZ Dominique, *Le Rapt de Ganymède*, Paris, Grasset, 1997.

FORTIN Jacques, *Homosexualités: l'adieu aux normes*, Textuel, 2004.

GODARD Didier, *Deux hommes sur un cheval. L'homosexualité masculine au Moyen Âge*, Béziers, H&O éditions, 2003.

GODARD Didier, *L'Autre Faust. L'homosexualité masculine pendant la Renaissance*, Montblanc, H&O éditions, 2001.

GODARD Didier, *Le Goût de Monsieur. L'homosexualité masculine au XVIIe siècle*, Montblanc, H&O éditions, 2002.

GODARD Didier, *Dictionnaire des chefs d'État homosexuels ou bisexuels*, Béziers, H&O éditions, 2004.

HÉRAUD Xavier et RONCIER Charles, *Guide des jeunes homos*, Marabout, 2004.

IGNASSE Gérard et WELZER-LANG Daniel, *Genre et sexualité*, Paris, L'Harmattan, 2003.

KATZ Jonathan N., *L'invention de l'hétérosexualité*, Paris, EPEL, 2001.

LAROQUE Gonzague, *Les homosexuels*, Éditions Le Cavalier bleu, Paris, 2003.

LEROY-FORGEOT Flora, *Histoire juridique de l'homosexualité en Europe*, PUF, 1997.

MÉNARD Guy (dir.), *Le mariage homosexuel*, Liber, Montréal, 2003.

MONBOURQUETTE Jean, *De l'estime de soi à l'estime du Soi*, Montréal, Novalis / Bayard, 2002.

MONBOURQUETTE Jean, LADOUCEUR Myrna et DESJARDINS-PROULX Jacqueline, *Je suis aimable, je suis capable*, Outremont, Novalis, 1996.

NYCUM Benjie, *XY Survival Guide*, San Diego, 2003.

TIN Louis-Georges (dir.), *Dictionnaire de l'homophobie*, Paris, PUF, 2003.

VAISMAN Anne, *L'homosexualité à l'adolescence*, Paris, La Martinière, 2002.

VERDIER Éric, et FIRDION Jean-Marie, *Homosexualités et suicide*, Montblanc, H&O, 2003.

WELZER-LANG Daniel, DUTEY Pierre et DORAIS Michel (dir.), *La peur de l'autre en soi — Du sexisme à l'homophobie*, Montréal et Paris, VLB éditeur, 1994.

WITTIG Monique, *La pensée straight*, Paris Balland, 2001.

Ressources

France

Écoute Violence 08 00 32 02 79

Ligne Azur 08 10 20 30 40

Ligue des droits de l'Homme 01 56 55 51 00

Sida Info Service 08 00 84 08 00

SOS Homophobie 08 10 10 81 35

SOS Violence 08 01 55 55 00

Québec

GAI ÉCOUTE <www.gai-ecoute.qc.ca>

1(888) 505-1010

Table des matières

Achevé d'imprimer en avril 2010
par l'imprimerie Norhaven
pour le compte de H&O éditions
CS 00001 - 34270 Le Triadou
Tél. 04 67 58 14 73 - Fax 04 67 58 23 46
E.mail : heto1@wanadoo.fr
Internet : www.ho-editions.com

Dépôt légal : mai 2010
Imprimé au Danemark.